dtv

Opa ist im Ruhestand und liebt das Reisen. Weil er Lokomotivführer war, weiß er alles über Eisenbahnen. Sein Spezialgebiet: Fahrpläne, Umsteigen, Anschlusszüge. Wenn er nach stundenlangem Brüten endlich die beste Verbindung findet, strahlen seine alten, trüben Augen. Aber Fahrpläne prüfen ist längst nicht alles, was zu einer guten Reisevorbereitung gehört. Auch mögliche Einbrecher sollen – ganz nach Plan – in die Irre geführt werden. Zum Beispiel durch sein spezielles Rollladensystem. Und dann müssen unbedingt sämtliche Türen verschlossen und das Wasser abgestellt werden. Doch was ist, wenn man nach alledem noch mal aufs Klo muss? ›Wenn ich mit Opa auf Reisen ging‹ ist nur eine von vielen spannenden Geschichten.

Uwe-Michael Gutzschhahn, 1952 geboren, ist Autor und Übersetzer. Er hat mehrere Bücher für Kinder und Jugendliche veröffentlicht. Für seine zweite Anthologie in der *Reihe Hanser* hat er spannende, lustige und vergnügte Ereignisse rund um den Sommer ausgesucht. Uwe-Michael Gutzschhahn ist als Lektor für die Kinder- und Jugendbücher im Hanser Verlag verantwortlich.

Sommerabenteuer

Herausgegeben von
Uwe-Michael Gutzschhahn

Deutscher Taschenbuch Verlag

Von Uwe-Michael Gutzschhahn
ist im Deutschen Taschenbuch Verlag erschienen:
Ich möchte einfach alles sein (62003)

Originalausgabe
In neuer Rechtschreibung,
falls nicht anders vom Autor gewünscht
Mai 2000
© 2000 Deutscher Taschenbuch Verlag GmbH & Co. KG,
München
www.dtv.de
Umschlagbild: © Quint Buchholz
Satz: KCS GmbH, Buchholz/Hamburg
Gesetzt aus der Sabon 11/12,5˙ (QuarkXPress)
Druck und Bindung: C. H. Beck'sche Buchdruckerei,
Nördlingen
Gedruckt auf säurefreiem, chlorfrei gebleichtem Papier
Printed in Germany · ISBN 3-423-62022-6

Inhalt

Rudolf Herfurtner

Wenn ich mit Opa auf Reisen ging

Als ich ungefähr zehn Jahre alt war, fuhr ich öfter mit meinem Opa in Urlaub. Das war sehr schön. Aber bis wir endlich das Haus verlassen hatten, war es schrecklich.

Mein Opa war Lokomotivführer gewesen. Er wusste nicht nur über alles Bescheid, was mit Eisenbahnen zusammenhing, er hatte auch so eine Art Freifahrtschein, mit dem er umsonst oder wenigstens zum halben Preis mit jedem Zug der Welt fahren konnte. So kam es mir jedenfalls damals vor. Wir fuhren zum Beispiel einmal an die Ostsee. Das war wie eine Weltreise von Bayern aus: den ganzen Tag im Zug!

Ich erinnere mich, dass mein Opa schon wochenlang vor der Abreise Pläne machte. Alles musste geplant werden.

Abfahrt und Ankunft sowieso. Das war sein Spezialgebiet: Fahrpläne, Umsteigen, Anschlusszüge.

»Glaub nur nicht, das ist egal, wie man umsteigt«, sagte er. »Das ist eine Wissenschaft für sich.«

Er war der größte »Wissenschaftler« auf diesem Gebiet, den man sich vorstellen kann.

»Ein Kunstwerk ist so ein Fahrplan«, sagte er. »Wenn du den lesen kannst, dann kannst du dir wesentliche Zeit sparen.«

Er hatte Zeit genug, er war ja schon lange im Ruhestand. Aber wenn er nach stundenlangem Brüten und Seitenrascheln von seinem dicken Kursbuch aufsah und eine Verbindung ausfindig gemacht hatte, bei der wir vielleicht eine Viertelstunde Fahrzeit einsparen konnten, dann strahlten seine alten, trüben Augen wie bei einem Kind, das die ersehnte Eisenbahn unter dem Christbaum entdeckte.

Geplant werden musste freilich noch vieles mehr: zum Beispiel, was in die Koffer kam und wie es in die Koffer kam und was in die Reisetasche und was in den Brotzeitbeutel; was man selber mitnahm an Gepäck und was man per Express vorausschickte; für jedes denkbare Wetter musste die Kleidung bestimmt werden und für die festlichen Augenblicke der Ferien der Sonntagsstaat.

Opa war ganz in sich versunken für Tage. Er ging sinnend durch das Haus und schrieb stapelweise kleine Zettel, damit er nichts vergaß. Ich musste in diesen Tagen nur sehen, dass er nicht über mich stolperte, dann ließ er mich in Ruhe, und ich konnte meine Mickymaus-Heftchen lesen.

Das änderte sich allerdings schlagartig ein, zwei Tage vor der Abreise. Dann wurde nämlich das Haus auf Vordermann gebracht. Und damit war die Ruhe hin. Ständig rief er nun: »Da geh her!« Oder: »Geh da weg!« Und immer war ich ein Nichtsnutz und Schmutzfink, dem die innere Einsicht in das Wesen der Sauberkeit fehlte und der die Arbeit von Putzlumpen und Staubwedel behinderte.

»Geh da weg!«, schimpfte er und fuhr mit dem Schrubber unter den Teppich, als habe sich darunter ein ganz besonders widerwärtiges Schmutzwesen verkrochen. Und wenn ich mich dann in mein Zimmer verkrümelte, rief er im nächsten Augenblick: »Da geh her!«

Ich trabte wieder ins Wohnzimmer und sah ihn mit dem Staubwedel auf der Gardinenstange herumfuchteln. Er hatte einen Stuhl auf den Tisch gestellt und war hinaufgeklettert. Jetzt schwebte er zwischen Himmel und Erde, dass mir schon beim Hinaufschauen schwindelig wurde.

»Was machst du denn da oben, Opa?«, fragte ich entsetzt. Jeden Augenblick konnte der alte Mann das Gleichgewicht verlieren und abstürzen.

»Ha!«, rief er triumphierend und streckte mir ein Büschel Staubfusseln entgegen.

»Aber Opa, meinst du, es kommt einer und schaut da oben nach, wenn wir nicht da sind? Wenn du runterfällst!«

»Red nicht, Nichtsnutz! Halt lieber mal den Stuhl fest. Soll ich mir vielleicht den Hals brechen?« Und dann kletterte er ächzend und stöhnend herunter. »Ja, ja«, murmelte er dabei. »Als Erika noch lebte, deine Großmutter, da hat die das immer gemacht. Und ich war genauso wie du, glaub mir. Verrückt!, hab ich gedacht, der Putzteufel persönlich. Aber seit ich allein bin, da hab ich gelernt, dass der Schmutz ein hinterlistiger Lump ist. Kaum putzt du ihn unten weg, hui!, setzt er sich oben wieder drauf. Aber nicht mit mir. Los, hilf mir mit dem Tisch.«

Und dann räumten wir das ganze Zimmer aus und wischten in allen Ecken und stocherten in allen Ritzen und ächzten und stöhnten und gaben dem hinterlistigen Lump keine Chance.

Ab und zu ließ Opa plötzlich den Putzlumpen fallen und schlurfte zu einem Fenster, ließ die Rollläden herunter, halb oder ganz oder dreiviertel, oder er zog sie – wo sie schon zu waren, halb oder ganz oder dreiviertel – wieder hoch. Dann nickte er und sagte: »So!« Und machte sich zufrieden wieder an die Reinigung des Hauses.

Die Sache mit den Rollläden hatte Opa mir immer wieder zu erklären versucht. Sie diente irgendwie zur Irreführung von Einbrechern. Es war eine von seinen kleinen Verrücktheiten, unter denen ich vor unserer Abreise noch ziemlich zu leiden haben würde.

Ich hörte deshalb nie richtig hin und benutzte die Gelegenheit, mich mit meinen Heftchen aufs Sofa zu verkrümeln. Aber er hatte mich schnell wieder aufgestöbert, schimpfte, dass ich die Kissen verdrückt hätte und dreckig machen würde ich sie auch mit meinen alten Klamotten.

»Und wo soll ich lesen?«, maulte ich.

»Lesen nennst du das?« Ich wusste, dass er das sagen würde. Er verachtete diese Heftchen. Aber er hat sie mir nie weggenommen.

»Was soll ich denn lesen?«, sagte ich.

Und er sagte: »Na, was Anständiges.«

Es war ein altes Spiel zwischen uns beiden. Ich wusste, wie es weiterging. »Dein Album gibst du mir ja nicht«, musste ich jetzt sagen.

Und er sagte: »Das kann man so einem Nichtsnutz wie dir auch nicht in die Hand geben, mein Album.«

Und damit ging er zu seinem Bücherschrank. »Schau weg!«, sagte er, und ich schaute weg. Aber ich wusste genau, dass er den Schlüssel zum Schrank hinter der Stirnleiste versteckt hatte. Er fischte ihn herunter, sperrte die Glastür auf und nahm das Album heraus.

In seinem Album waren sämtliche Lokomotiven der

Welt abgebildet und zu jeder Lokomotive gab es eine Beschreibung und oft auch eine Geschichte. Und eh wir's uns versahen, lagen wir auf dem Boden, mein alter Opa und ich, träumten von den Eisenbahnen der Welt und vergaßen die Zeit.

Eine Stunde konnte leicht vergehen auf diese Weise. Dann merkte Opa, dass ihm die Knochen steif geworden waren. »So vertut man die Zeit!«, schimpfte er, und ich musste ihm aufhelfen. »Wie spät ist es denn schon, um Himmels willen?«

»Ich weiß nicht«, sagte ich, »die Uhr ist stehen geblieben.«

»Was? Die Uhr bleibt nie stehen.« Er schlurfte zu seiner alten Standuhr hinüber und starrte auf die Zeiger. Sie bewegten sich nicht und das Perpendikel hing schlapp in seinem Glasgehäuse.

»Sapperment aber auch!«, schimpfte er dann. »Wer hat denn die Uhr verrückt? Die darf man doch nicht verrücken. Einen Millimeter verrückt, und schon steht sie. Das letzte Mal hab ich ein halbes Jahr gebraucht, bis sie wieder ging. Sapperment aber auch! Wie oft hab ich dir gesagt, bloß die Uhr nicht verrücken!«

Er sagte das mehr zu sich selbst, denn natürlich hatte er beim Putzen die Uhr verrückt. Aber er musste schimpfen, dann ging es ihm besser.

Ich schlich mich in die Küche davon und nahm mir eine Frikadelle aus der Speisekammer. Mein Opa machte wunderbare Frikadellen. Ich hatte gehofft, dass er mit der Uhr zu tun haben würde. Aber er kam in die Küche und erwischte mich.

»Mein Gott! Wer hat dir gesagt, dass du die Frikadellen essen sollst?«, rief er und ich konnte nichts erwidern, weil ich die Backen voll hatte.

»Das ist doch unser Reiseproviant!«

»Ach so. Schmecken gut«, brachte ich hervor.

»Schmecken gut, schmecken gut! Natürlich schmecken die gut. Wieso auch nicht? Frisst der unseren Reiseproviant! Schmecken gut, nicht wahr?« Er nahm sich auch eine aus der Schüssel und biss hinein. »Gut, ja. Sehr gut«, mampfte er, und weg war die Frikadelle. »Gut. Hm. Weißt du was? Dann können wir sie genauso gut gleich aufessen.«

»Alle?«, rief ich.

»Rentiert sich doch nicht, dass wir die paar überhaupt noch einpacken.« Er hatte schon wieder eine verdrückt. »Setz dich her, du Nichtsnutz.«

Und dann holten wir uns Senf und Gurken und setzten uns an den Küchentisch, aßen Frikadellen, bis wir nicht mehr konnten, und zwar ganz ohne Brot, mein Opa und ich. So verbrachten wir die Tage vor der Abreise. Die eigentliche Katastrophe aber kam erst in der Stunde, bevor wir das Haus verließen. Mein Opa war nämlich ein Sicherheitsfanatiker. Das merkte man schon bei der Geschichte mit dem Schrankschlüssel.

Die fixe Idee meines Opas war, dass die Welt von Strolchen wimmelte, die nur darauf warteten, sein Häuschen zu überfallen. Diese Idee vertrat er leidenschaftlich und wortgewaltig und nichts in der Welt konnte ihn davon abbringen. Auch dass noch nie jemand bei ihm eingebrochen hatte, war ihm nur Beweis für die Qualität seiner Sicherheitsvorkehrungen, nicht etwa für die Freundlichkeit der Welt. Nein, dass die Welt freundlich sei, das glaubte mein Opa nicht.

»Als Lokführer kennst du die Welt«, sagte er »weil du alles gleichsam von einer höheren Warte aus siehst, wenn du weißt, was ich meine.«

Ich wusste genau, was er meinte. Er meinte, dass man immer ein bisschen schlauer sein musste als der Gauner.

»Sehr richtig!«, sagte er. »Immer ein bisschen weiter denken. Hast du die Tür zum Garten zugesperrt?«

Natürlich hatte ich die Tür zum Garten zugesperrt. Er hatte mich das schon fünfmal gefragt, und zweimal hatte er es schon überprüft. »Ja, Opa, hab ich«, sagte ich und drehte die Augen zum Himmel. Wir hatten schon ein paar Tage Gespräche über Sicherheit hinter uns.

»Ja, ja«, sagte er, »so was vergisst man leicht. Aber durch den Garten kommen sie am liebsten. Da sieht sie keiner von der Straße aus. Und sie können in aller Ruhe ihren Diebsgeschäften nachgehen.«

»Ja, Opa«, sagte ich. Ich hatte es längst aufgegeben, etwas gegen seine fixe Idee zu sagen.

»Na, dann können wir wohl«, sagte er. Er schloss die Augen und drehte sich langsam um seine eigene Achse. Er ließ das ganze Haus noch einmal vor seinem inneren Auge Revue passieren, jede Tür, jedes Fenster, jeden Riegel. »Also gut«, sagte er, »ich glaube, wir haben an alles gedacht.«

»Ja, Opa.«

»Oder musst du noch mal aufs Klo?«

Das hätte er nicht sagen dürfen. So eine Frage wirkt auf mich wie auf andere Leute ein laufender Wasserhahn. Meine ganze Kindheit hindurch konnte ich nie das Haus verlassen, ohne diese Frage zu hören: Musst du nicht noch mal?

Ich musste sofort, als mich mein Opa fragte.

»Na, dann aber schnell jetzt«, sagte er. »Das Taxi muss jeden Augenblick kommen.«

Ich ging also aufs Klo, während er draußen noch einmal murmelnd die wichtigsten Vorsichtsmaßnahmen durchging.

»Die Post hab ich abbestellt, oder?«, rief er.

»Ja, Opa«, rief ich durch die Tür. »Aber dir schreibt doch sowieso keiner.«

»Und die Zeitung haben wir auch abbestellt, ja?«

»Ja, Opa. Du liest doch schon seit drei Tagen dieselbe alte Zeitung.«

»Besser zu früh als zu spät«, brummte er. »Das sehen die doch gleich, wenn der Postkasten überquillt. Und schon sind sie drin. Bist du jetzt endlich fertig?«

»Ja, ich bin fertig.« Ich zog an der Wasserspülung und wollte schon wieder rausgehen. Aber ich war wohl aufgeregt, hatte ein bisschen Reisefieber. Auf jeden Fall musste ich mich auch noch hinsetzen.

»Was ist denn?«

»Gleich, ich komm gleich.«

»Immer muss der aufs Klo«, schimpfte mein Opa draußen vor der Tür, »und immer in der letzten Minute. Das kann man sich doch besser einteilen, wenn man fort will, oder?«

Es dauerte ein bisschen. Aber schließlich war ich fertig. »Ich komme schon«, rief ich und zog wieder an der Strippe. Aber es kam kein Wasser mehr. Ich zog noch mal: nichts. »Scheiße!«

»Wie bitte?«

»Nichts, Opa.«

»Warum kommst du dann nicht endlich raus? Mit dir verreise ich noch mal!«

Ich steckte den Kopf durch die Tür. »Es kommt kein Wasser mehr.«

»Was ist? Warum machst du die Tür nicht auf?«

»Es stinkt, Opa. Hast du das Wasser abgestellt?«

»Ja, aber sicher hab ich das Wasser abgestellt. Sonst kommen wir heim, und das ganze Haus ist überschwemmt.«

»Ja, aber«, sagte ich, »ich war auf dem Klo.«

»Musst du eben in den Keller gehen und den Haupthahn aufdrehen.«

Ich schlüpfte aus dem Klo und ging zum Keller.

»Es stinkt«, brummte mein Opa.

»Ja, sag ich doch.« Ich drückte die Klinke der Kellertür.

Die Kellertür war verschlossen. »Die Tür ist zu, Opa.«

»Natürlich ist die Tür zu. Meinst du, ich lass die Kellertür offen, dass sie nur reinspazieren müssen? Das hat man schon oft genug gehört, dass sie durch den Keller kommen.«

»Und wo ist der Schlüssel?«

»Na, da, wo alle Schlüssel sind.«

»In der Kassette?«, rief ich. Aber das hätte ich nicht tun sollen.

»Bist du wohl …!«, rief mein Opa aufgeregt. »Pscht!« Er sah sich lauernd um, winkte mich zu sich und flüsterte mir ins Ohr: »Unter meinem Kopfkissen, du Nichtsnutz!« Er war offensichtlich davon überzeugt, dass die Wände Ohren hatten.

Ich lief ins Schlafzimmer und holte die Kassette unter seinem Kopfkissen hervor. Natürlich war die Kassette auch abgeschlossen.

»Ja, freilich ist die abgeschlossen«, brummte er. »Eine Kassette, die nicht abgeschlossen ist, das wäre ja eine schöne Torheit!« Und dann flüsterte er mir wieder ins Ohr, dass der Schlüssel zur Kassette in der Küche in der Zuckerdose versteckt sei. »Stinkt ziemlich!«, sagte er.

»Ja, Opa.«

Ich ging in die Küche, nahm die Zuckerdose aus dem Buffet und suchte nach dem Kassettenschlüssel. Ich fand ihn nicht. Ich wühlte mit dem Finger im Zucker rum, dann nahm ich eine Gabel aus der Schublade. Der Schlüssel war nicht in der Zuckerdose. In meiner Verzweiflung wusste ich mir schließlich keinen anderen Rat mehr, als die Dose auszukippen. Aber es war so finster in der Küche, dass ich nichts sehen konnte.

Ich ging zum Fenster und zog den Rollladen hoch, was sich natürlich sofort als schlimmer Fehler erwies. Mein Opa schoss in die Küche, riss mir den Riemen aus der Hand und machte das Rollo wieder zu.

»Ich seh doch nichts, Opa«, sagte ich verzweifelt.

»Ach was! Unsinn!«, schimpfte er. »Du kannst doch nicht einfach das ganze Rollosystem durcheinander bringen, du dummer Bub, du!«

Ach ja, das Rollladensystem. Das hatte ich vollkommen vergessen.

»Wie oft soll ich dir das denn noch erklären, Nichtsnutz? Also, pass auf! Wenn an einem Haus längere Zeit alle Rollos zu sind, dann weiß der Langfinger doch gleich, dass die Leute in Urlaub gefahren sind. Das ist logisch. Also hab ich schon eine Woche vor der Abreise die Rollos jeden Tag ein bisschen anders gestellt: zugemacht, aufgemacht, alle paar Stunden ein bisschen anders. Und wenn nun ein Ganove das Haus beobachtet hat, dann muss er schließlich zu dem Schluss kommen, dass in diesem Haus die Rollos immer irgendwie halb auf oder halb zu sind. Auf jeden Fall kann er nicht von der Stellung der Rollos auf die Abwesenheit der Hausbesitzer schließen. Stimmt's?«

Na ja. Auf jeden Fall konnte ich jetzt nicht daherkommen und das ganze ausgeklügelte System wieder durcheinander bringen, nur weil ich den Kassettenschlüssel nicht fand. »Aber ich find ihn nicht, Opa.«

Er sah den ausgeschütteten Zucker. »Mein Gott! Bub! Was bist du für ein Verdrusskopf! Findest ihn nicht?«

»Nein, Opa.«

»Nicht drin?«

»Nein, schau!«

»Aha«, brummte er. »Ja, dann.« Er fischte seinen Geldbeutel heraus und gab mir den Kassettenschlüssel. »Ist sowieso besser, man hat den Schlüssel bei sich«, brummte er und schlurfte wieder in den Flur, wo er sich scheinbar erschöpft auf den Koffern niederließ. »Wie das stinkt hier!«

Ich schloss die Kassette auf, nahm den Kellerschlüssel heraus und rannte in den Keller. Da war es nun wirklich nachtschwarz. Die Läden vor den Kellerfenstern waren dicht verrammelt. Ich sah nicht meine Hand vor den Augen, geschweige denn den Haupthahn der Wasserleitung.

»Ich seh nichts, Opa!«

»Warum machst du kein Licht?«

»Du hast doch die Sicherung rausgedreht, Opa.«

»Ach so, ja«, brummte er. Und: »Dieser Bub!« Ich hörte, wie er sich von den Koffern hochstemmte und die Treppe zum Sicherungskasten hinaufschlurfte.

Ich hatte mich gerade vorsichtig zum Lichtschalter vorgetastet, als ich einen fürchterlichen Fluch aus dem ersten Stock hörte und dann im gleichen Ton meinen

Namen. Es klang, als hätte der liebe Gott mich persönlich bei einer finsteren Untat erwischt.

Ich tapste zur Treppe, stolperte, schlug mir das Schienbein an irgendwelchen alten Kisten auf und flitzte die Treppen hoch.

Da stand mein Opa. Er hatte die sowieso schon dicken Augenbrauen zu einem bedrohlichen Haardach zusammengekniffen und deutete mit seinem steifen Finger auf das offene Treppenfenster.

»Was siehst du?« Es war eine jener Erwachsenenfragen, die die Verurteilung des Befragten immer schon mit beinhalten.

»Das Fenster ist offen«, sagte ich wahrheitsgemäß.

»Das Fenster ist offen!« Er wiederholte nur meine Worte, aber er meinte damit, dass ich ja wohl der unnützeste Nichtsnutz unter der Sonne sei. Ein Fenster offen zu lassen, wenn man drei Wochen auf Reisen ging!

Nun war ich da ganz seiner Meinung. Ich hatte mich ja auch gewundert, dass er bei all seinen Sicherheitsfinessen ein Fenster offen stehen lassen wollte. Aber er hatte mir erklärt, dass ein offenes Fenster das sicherste Zeichen dafür wäre, dass das Haus nicht leer stand. Und ich hatte mir schließlich gedacht, der Sicherheitsfachmann ist mein Opa, also werde ich nicht widersprechen.

Ich sagte ihm das jetzt und sah, wie sich langsam sein Gesicht veränderte. Erst sah es mich von der Seite an, als wollte es sagen: Du kleiner Halunke willst wohl deinen alten Großvater verkohlen. Aber dann schien sich doch ein Schimmer der Erinnerung in seinem Kopf zu regen. Seine finsteren Augenbrauen schoben sich wieder auseinander. Er schniefte und brummte irgendwas von: »Ich soll das gesagt haben?« Und: »Na ja, so gesehen stimmt es ja. Wenn ein Fenster offen steht, ist immer jemand da. Wer lässt schon sein Fenster offen, wenn er nicht da ist? Aber andererseits: Das ist dann doch zu gefährlich, ich meine, ein offenes Fenster, das lädt ja geradezu ein, oder?«

Ich hütete mich, ihm zu widersprechen. »Ja, Opa«, sagte ich. »Drehst du jetzt die Sicherung rein?«

»Ja, aber beeil dich jetzt mal«, sagte er. »Also, wie das stinkt. Bis hier rauf.«

Ich lief in den Keller, machte das Licht an und drehte den Wasserhahn auf. Da hörte ich ihn schon wieder schimpfen. Als ich aus dem Keller kam, stand er in der Küche und betrachtete kopfschüttelnd, wie das Wasser aus dem Hahn an der Spüle schoss.

»Wieso läuft denn jetzt in der Küche das Wasser, Himmel noch mal?«

Er hatte vorhin noch eine Reisetablette nehmen wollen, und als kein Wasser aus dem Hahn gekommen war, hatte er wahrscheinlich vergessen, wieder zuzudrehen. Erinnern konnte er sich freilich daran nicht mehr.

»Ich?«, sagte er.

»Ja, Opa, ich glaub schon.«

Er sah ungläubig von dem laufenden Wasserhahn zu mir und wieder zurück und drehte dann das Wasser ab. »Wenn ich bloß wüsste, was hier so stinkt?«

Ich sagte nichts mehr. Ich schoss mit angehaltenem Atem ins Klo, zog an der Strippe, und draußen war ich wieder.

Mein Opa saß auf den Koffern und machte einen erschöpften Eindruck. »Warst du das, der da so gestunken hat?«, fragte er vorwurfsvoll. »Warum machst du denn die Tür nicht zu, wenn du aufs Klo gehst?« Mein Opa war ein Meister, wenn es darum ging, die Schuld auf andere Leute zu schieben.

»Machen wir wieder alles so wie vorher, Opa?«

»Natürlich, das hat sich schließlich bewährt über all die Jahre.«

Ich ging also noch einmal in den Keller und drehte das Wasser ab. Ich verschloss die Kellertür und legte den Schlüssel in die Kassette. Die Kassette versteckte ich unter Opas Kopfkissen, den Schlüssel gab ich ihm.

»Was soll ich mit dem Schlüssel?«, sagte er. »Steck ihn in den Zucker, wo er vorher war.«

»In den Zucker, Opa?«

»Ja, aber so, dass du nicht wieder die ganze Dose auskippen musst, du Nichtsnutz.«

Ich ging in die Küche, machte das Licht an und wischte den Zucker, so gut es ging, in die Dose. Ich legte den Kassettenschlüssel rein, so dass er nur leicht bedeckt war vom Zucker. Dann leckte ich meine Finger ab, als plötzlich das Licht ausging.

Ich rannte aus der Küche, weil ich Angst hatte, dass dem Opa was passiert sein könnte. Ich weiß auch nicht, warum ich Opas Gesundheit mit dem Ausgehen des Lichts in Verbindung brachte.

Aber es fehlte ihm nichts. Er hatte nur die Sicherung wieder rausgedreht und kam nun die Treppe herunter.

»Also, wie das stinkt hier!«, brummte er. »Hast du denn das Fenster nicht aufgemacht im Klo?«

»Nein, Opa. Das geht doch nicht, wenn wir wegfahren.«

Einen Augenblick lang stutzte er. Dann hatte er seine Gedanken wieder beieinander. »Natürlich geht das nicht. Was denkst du denn, Nichtsnutz?«

Er stand jetzt wieder im Flur wie vor einer Stunde schon einmal, drehte sich – die Augen geschlossen – langsam im Kreis. »Ja, jetzt glaub ich, haben wir alles.«

Da hörte man ein Geräusch am Küchenfenster. Und dann auch Schritte draußen auf dem Kiesweg, der um das Haus herumführte.

Opa hatte es sofort auch gehört. »Pst!«, zischte er und duckte sich. Sein Kopf bewegte sich den Schritten nach, die nun am Flurfenster angekommen waren. Wieder dieses Geräusch, ein Klopfen. »Da sind sie schon«, flüsterte mein Opa, »und wir sind noch nicht einmal weg.«

Opa war überzeugt davon, dass sich draußen schon die Einbrecher ans Werk machten. Eine Mischung aus Argwohn und Jagdfieber stand ihm ins Gesicht geschrieben. Ich bekam es mit der Angst und verkroch mich zwischen den Koffern.

Es klopfte wieder. Dann rief eine Stimme: »Hallo!«

»Einbrecher rufen doch nicht hallo, Opa.«

»Wer ruft hallo?«, sagte Opa.

»Hast du denn nicht gehört? Da, wieder.«

In der Tat rief die Stimme nun wieder, lauter, mehrmals.

»Hallo, ist da keiner? Taxi!«

»Das Taxi, Opa! Das ist bloß das Taxi.« Erleichtert kroch ich hinter den Koffern hervor.

»Was?«, sagte Opa. Er sah mich misstrauisch an.

»Das Taxi, Opa.«

»Das Taxi?« Ich sah, wie einen Augenblick lang seine ganze fixe Idee ins Wanken geriet. Da hätte er nun einmal den Beweis für die Schlechtigkeit der Welt sozusagen am eigenen Leibe erbringen können. Und dann sollte der Einbrecher nur der Taxifahrer sein.

Oder? Ich merkte, wie es in seinem Kopf arbeitete. »Moment mal!«, flüsterte er. »Vielleicht ist das ja alles ganz anders. Vielleicht ist das alles nur Verstellung. Wer sagt dir denn, dass das wirklich der Taxifahrer ist und nicht eine gemeine Falle?«

Ich merkte, wie meine Angst wiederkam.

»Hallo, hallo!« Die Stimme war nun an der Tür zum Garten angekommen.

»Hm? Sag mir das. Warum zum Beispiel läutet denn der nicht?«

Nun, darauf wusste ich eine Antwort. »Wir haben doch keinen Strom, Opa. Da kann er nicht läuten.«

»So, keinen Strom«, sagte Opa. Das schien ihm einzuleuchten. »So gesehen hast du Recht. Bist gar nicht so dumm, du.« Er fuhr mir mit der Hand durch die Haare und schubste mich dann zu meinem Koffer hin. »Na, los dann, gehen wir endlich. Dass du immer so trödeln musst, Nichtsnutz! Der Zug wartet nicht, das kann ich dir sagen.«

Und dann nahmen wir unsere Koffer, schlossen das Haus ab, stiegen ins Taxi und fuhren in Urlaub. Das war sehr schön.

David Grossman

Eine Lokomotive von hundert Tonnen

Wir durchquerten Waggon um Waggon. Die Landschaft rannte neben uns mit, stelzte auf den Holzbei-
nen der Strommasten mit uns um die Wette. Grüne
Eukalyptusbäume zogen in langen Alleen vorüber, ein
Sonnenblumenfeld, braune Erdhügel, weiter, immer
weiter, Gänge, Türen, Waggons. Hier und da, wenn
wir ein Abteil passierten, kam es mir vor, als ob ein
Mann oder eine Frau aufstanden und mir verwundert
nachschauten, während ihre Arme sich zu stummen
Gebärden verrenkten. Aber ich konnte nicht stehen
bleiben, Felix zog mich entschlossen vorwärts, ich
hatte überdies auch gar nicht das Bedürfnis anzuhalten, und da war auch schon der letzte, schmale Durchgang und eine schwere Tür mit der Aufschrift: »Zutritt
strengstens verboten«, und Felix, der ja vielleicht kein
Hebräisch lesen konnte – er konnte es natürlich, keine
Frage –, drückte einfach fest den Griff herunter, die
schwere Tür öffnete sich und wir standen in der Lokomotive.

Hier ging es noch lauter zu als in den Waggons. Ein
hünenhafter Mann in einem dreckigen Unterhemd
stand mit dem Rücken zu uns über ein hohes, eisernes
Pult gebeugt.

Als wir die Lok betraten, brüllte er ohne sich nach
uns umzudrehen: »Wieder läuft der Motor zu lang-

sam! Schon zum zweiten Mal heute!« Felix schloss die Tür hinter uns und schob den Riegel vor. Innen herrschte eine gewaltige Hitze, und mir brach auf der Stelle der Schweiß aus. Auch der Lärm – ich erwähnte bereits, was lauter Lärm in mir bewirkte.

Felix zwinkerte mir zu und tippte dem Lokführer sachte auf die Schulter.

Dieser erhob sich schwerfällig, drehte sich um und verzog erschüttert das Gesicht.

Er hatte offenbar jemand andern erwartet. Möglicherweise den Zugführer oder den zweiten Lokführer. Er wollte unverzüglich wissen, wer wir seien und was uns einfiel, die Lokomotive zu betreten. Er musste schreien, um den Lärm zu übertönen, Felix lächelte ihm zu, und diesmal war seine Miene gütig und verlegen, es war zum Herzerbarmen. Er beugte sich über das Ohr des Lokführers und brüllte hinein, es tue ihm sehr leid, es sei in der Tat verboten, aber was solle man machen, das Kind, dieser kleine Eliezer hier, habe gebettelt, noch einmal im Leben, bevor es zu spät sei, eine Lokomotive von innen zu sehen.

Ja, genau das waren seine Worte. Er fuhr behutsam über mein Haar und ich sah, dass er dem Lokführer einen viel sagenden Blick zuwarf und mit dem Kopf nickte, als zeige er auf mich.

Zunächst verstand ich nicht. Belog er etwa den Lokführer? Einfach so, mit einer gemeinen, hässlichen Lüge, nach der ich, sagen wir mal, ein Kind war, das sich auf einer Art Abschiedsreise aus dieser Welt befand, einer Reise zur Erfüllung der letzten Wünsche, bevor es, Gott behüte, aufgrund irgendeiner schweren Krankheit das Zeitliche segnete?

Das kann nicht sein, dachte ich mir. Ich beschloss,

mich wegen des Lärms in der Lokomotive verhört zu haben. Ich grinste über meine eigene Einfalt, aber nur zu einem Viertel und auch ein wenig verschreckt, immerhin war es kaum vorstellbar, dass ein so vollkommener und eleganter Mann wie er solch ein Lügenbold war und noch dazu so eine törichte Lüge erfand, denn soweit ich wusste, war ich, abgesehen von einer minimalen Neigung zu Heuschnupfen, gesund und munter wie ein Fisch im Wasser. Aber dann begegnete ich dem Blick des Lokführers, dem kummervollen, zurückzuckenden Blick, den er mir zuwarf, und der Gedanke durchfuhr mich, dass ich mich womöglich doch nicht getäuscht hatte, sondern dass Felix tatsächlich in seinem herzlichen, innigen Ton voll aufrichtiger Anteilnahme diese schreckliche Geschichte erfunden hatte.

Und wie reagierte ich darauf?

Es war, als ob ich nicht vorhanden wäre. Ich klebte an der Wand der Lokomotive. Die riesige Maschine der Lok kreischte durch meine Fersen hindurch direkt in mein Hirn. Die Hitze ließ die Reste meines Verstandes schmelzen. Ich kam nicht mal auf die Idee, dass Vater Felix unmöglich erlaubt haben konnte dergleichen mit mir anzustellen. Anstatt die Dinge richtig zu stellen, begab ich mich ganz und gar in seine Hand. Mit keinem Wort verriet ich dem Lokführer, dass Felix die Unwahrheit sagte. Ich sah Felix mit den Augen eines Kalbes an und glaubte zu träumen.

Wie kam er so ohne weiteres auf diesen Vorwand? Ohne dass auch nur einer seiner Gesichtsmuskel eine Regung zeigte?

Ich würde Jahre brauchen, bis ich mein Gesicht so unter Kontrolle hätte: ich, dessen Lügen stets sofort aufflogen. Außer bei Micha, der aus einem unerfindlichen Grunde in sie vernarrt war.

Felix war ein Erwachsener – und er log, dass sich die Balken bogen! Und was für eine Lüge er auftischte! Eine Lüge, die den Lokomotivführer außer Gefecht setzte. Eine Lüge, die kein Mensch in den Mund nahm, die einem allein schon der Aberglaube verbot!

Und ich stand wie gelähmt dabei.

Voller Bewunderung für ihn.

Gegen meinen Willen. Schaudernd vor Abscheu ob seiner Dreistigkeit, aber auch voller Bewunderung.

Das ist die bittere Wahrheit.

Was er tat, brachte mich gleichermaßen auf und erfüllte mich mit Demut und Selbstverachtung. Als ob ich vor ihm ausradiert würde und mich in Nichts auflöste, mich und all das, was man mir beigebracht und anerzogen hatte, zusammen mit jedem einzelnen Finger, der ausgestreckt vor meiner Nase erhoben worden war: Verboten! Verboten!, und zusammen mit der Furcht erregenden Falte, die mein Vater zwischen den Augen hatte, die sich in der Stunde des Zorns verdunkelte und vertiefte, jener senkrechten, schwarzen Kerbe, die wie ein unverrückbares Ausrufezeichen die ganze Zeit über mir schwebte. Und es schien mir, dass für einen Moment, einen allerletzten, meinem Mund irgendein schwaches Rufen entwich: »Nein! Es ist nicht wahr! Es stimmt nicht!« Aber zugleich fuhr mir mit dem Dröhnen der Maschine und dem Zittern der Lokomotive ein fremdartiger Freudenschrei durch die Eingeweide. Mir war, als ob man mich kurzum in eine andere Welt versetzt hätte, in der alles erlaubt war, einfach alles, ohne strenge Lehrer und ohne verzweifelte Blicke von Vätern, in der man sich nicht die ganze Zeit krampfhaft vor Augen führen musste, was erlaubt und was verboten war.

Und überhaupt – was strengte man sich an. Man brauchte nur etwas zu äußern – und schon ging es in Erfüllung.

Wie Gott sprach: »Es werde Licht«, und es ward Licht.

Ja, ich bewunderte ihn dafür, dass er den Mut hatte, einen Ort zu betreten, zu dem der »Zutritt strengstens verboten« war, und einen Lokomotivführer mit solch einer garstigen Lüge hinters Licht zu führen, einer Lüge, die kein normaler Mensch in den Mund zu nehmen wagte.

Als ob ihm alles erlaubt wäre.

Und die Welt sein Spielzeug wär.

Und es keine Gesetze gäbe, außer seinem eigenen.

Damals wusste ich noch nicht, zu was er sonst noch im Stande war.

Er ging in seiner Lüge auf und glaubte voll und ganz selbst daran, denn das war anscheinend der Weg zum glaubhaften Lügen, wie ein V-Mann in die Rolle seiner Legende schlüpfen musste. Als ich ihn ansah, konnte ich den warmen Motor, der zwischen seinen Augen brummte, buchstäblich fühlen, es war das erste Mal in meinem Leben, dass ich dieses Kribbeln bei jemand anderem wahrnahm, Felix glaubte bereits so sehr an seine eigene Lüge und sah mich mit einem so mitfühlenden, bestürzten Blick an, dass ich, der ich bekanntlich gesund war wie ein allergischer Fisch, fühlte, wie auf der Stelle das Blut aus meinen Adern wich, wie aus Felix' barmherzigen Augen ein gräulicher, durchsichtiger Schleier der Krankheit, ein Schleier des Siechtums, über mich fiel, in den ich mich mit Leib und Seele hüllte, und ich wünschte mir von ganzem Herzen, ja ich sehnte mich danach, mich in ihm aufzulösen.

So überkam es mich, jenes neue Gefühl, jener leichte Rausch, der meinen Kopf umnebelte, und das Glücksgefühl, das mich der Ohnmacht nahe brachte. Ich wünschte, ich könnte behaupten, ich hätte ein wenig länger mit mir gekämpft, hätte einen festeren Charakter bewiesen. Niemand kämpfte und nichts wurde bewiesen. Binnen kürzester Zeit machte Felix mich zu seinem Partner. Nicht einmal einzuarbeiten brauchte er mich. Es war, als ob er genau gewusst hatte, wer und was ich war und nur hatte kommen und die Staubschicht wegpusten müssen, die den wahren Nono zugedeckt hatte. Das heißt – das Lügenmaul ... Wer bin ich? ...

Ich stand an die Wand der Lokomotive gelehnt. Felix' Augen waren fest auf mich gerichtet. Auch die Pupillen des Lokführers. Ich spürte, wie mein Gesicht sich vor Schmerz verzog, wie ich mich selbst aufsog und zu schrumpfen begann. Das Leben, mein teures Leben, begann zur Neige zu gehen. Mir wurde kalt. Die Lokomotive glühte vor Hitze und ich fing an, heftig zu zittern. Das Zittern über Felix' ungeheure Lüge wurde zu einem Schüttelfrost vor Krankheit. Vor Unglück und aufgehender Finsternis. Elende Trauer überkam mich, aufrichtige, jämmerliche Trauer über mein Los, über die schlimme Krankheit, die an meinem Körper nagte und über den schwarzen Samtvorhang, der sich allmählich über die Szene meines kurzen Lebens senkte. Meine rechte Hand bäumte sich plötzlich von selber auf wie ein verendendes Tier, wohl wegen der Krankheit, vermutlich ein Symptom, ohne dass ich es geplant hätte, zuckte sie eigenmächtig, wer hätte gedacht, dass ich eine Hand mit solch einem schauspielerischen Talent besaß, stolz war ich, dass ich solch eine perfekte Nummer abzog. Da Felix' Augen sich sprachlos weiteten, während ich den Mund verrenkte und ihn verbog, als ob ich um die letzten Atemzüge rang. Vor allem war ich stolz darauf, dass Felix mit mir zufrieden war, wie ein Lehrer mit einem Schüler, endlich war man über meine schülerischen Leistungen entzückt, schließlich hatte ein solcher Auftritt auch einen künstlerischen Aspekt, nicht wahr? Erfindet ein Schriftsteller etwa keine Geschichten? Ist eine Geschichte nicht ebenfalls so etwas wie eine Lüge? Ich stand dort in der stampfenden Lokomotive, das Blut pochte an meine Schläfen, und ich hing mit schwachem, gebrechlichem Blick an dem Lokomotivführer, mit einem Flehen, in dem das vorgegriffene Vergeben jeglicher Abfuhr lag, denn schließlich haben Sie ihre Vorschriften, Herr Lokomotivführer – offenbarte mein Blick –, und es gibt Anweisungen, natürlich kann ich Sie verstehen, mein Freund, wenn Sie nicht bereit sind, auch nur für einen kurzen Zeitraum von diesen abzusehen, um ein Kind in meinem Zustand glücklich zu machen, und in der Tat, was ist schon das Leid eines Kindes verglichen mit Vorschriften und Anweisungen, schließlich sind sie es, die die Welt in ihrem Innern zusammenhalten, dank ihrer geht Morgen für Morgen die Sonne auf und fährt dieser Zug fahrplanmäßig ab, kleine, zum Sterben neigende Kinder wie mich gibt es viele auf der Welt, solch eine Lokomotive hingegen, solch eine einmalige, außergewöhnliche Lok gibt es nur ein einziges Mal. »Danke, danke, mein Herr!«, flüsterten meine welken Lippen, als der Lokführer herbeisprang, um mich zu stützen, während ich drauf und dran war, zu Boden zu stürzen, und er mir einen Schemel unterschob, denn Lügen haben kurze Beine, denen es schwer fiel, sich aufrecht zu halten ...

Es klappte. Der Lokomotivführer nahm mir meine Geschichte ab. Heiterkeit sprudelte in meinen Eingeweiden: Er hat es geglaubt! Er hat es geschluckt! Mir, dem so häufig nicht geglaubt worden war, auch wenn ich die Wahrheit gesagt hatte!

Jempa und Haii – dii!

Der Lokführer trocknete sich mit einem blauen, rußigen Lappen Gesicht und Kahlkopf, stützte sich auf seinen am Boden festgeschraubten Hocker, nickte betreten mit dem Kopf und vermied den Blickkontakt mit mir. Seine Augen klammerten sich an Felix, unwissend, dass er damit sein Schicksal besiegelte. Mit tiefer, belegter Stimme begann er, die Funktionen der Lokomotive zu erläutern und ihre Stärken aufzulisten, »eintausendsechshundertfuffzig Pferdestärken«, sagte er mit halb offenem Mund, während er schüchtern zu mir herüberschielte. Er war ein einfacher Mensch, grobschrötig und plump. Haarbüschel kräuselten sich ihm auf Buckel und Armen, linsten selbst aus seinen Ohren. Worte waren nicht seine Stärke, aber mein Zustand gebot ihm, sich anzustrengen. Er lud mich ein, auf seinem Sitz Platz zu nehmen, beugte sich behutsam über mich, wies auf jeden Hebel, jeden Schalter und jedes Messinstrument, während er unentwegt bange Blicke auf die Tür warf, voller Sorge, ein Kollege käme herein und deckte auf, dass er fremde Menschen in die Lok gelassen hatte.

Auch Felix stellte Fragen. Wo sich die Bremsen des Zuges befänden und wie man die Geschwindigkeit erhöhte, wie man die Signalpfeife betätigte, und der

Lokomotivführer, der Felix' Interesse zu schätzen wusste, ja, der sich möglicherweise gar ein wenig geschmeichelt fühlte, vergaß für eine Weile sein Unbehagen und plauderte ohne Unterlass. Er zeigte uns, wo sich der Bremshebel befand, der den ganzen Zug zum Stehen brachte, und wo das kleine Bremsrad war, das nur die Lokomotive selbst anhalten konnte, und er erlaubte mir, an dem Griff der Pfeife zu ziehen, über uns wurde ein durchdringendes, melancholisches Pfeifen laut, als ob der Zug ein Klagelied anstimmte über die Lüge, die man in ihm log, mich jedoch bekümmerte damals etwas gänzlich Anderes, ich dachte daran, wer in meiner Klasse mir wohl glauben würde, dass ich die Pfeife eines fahrenden Zuges geblasen hatte, und mir war klar, dass ich, wenn sie mir die Sache abnehmen sollten, keine andere Wahl haben würde, als beim Erzählen auf das Pfeifen zu verzichten.

Der Lokomotivführer zeigte uns, wie er die Geschwindigkeit des Zuges bis auf hundertzehn Stundenkilometer hochfahren konnte, und Felix fiel ein, wie er es in seiner Kindheit in Rumänien geliebt hatte, auf einem Felsen zu liegen, unter dem die Eisenbahn vorüberfuhr, wie er den Atem anzuhalten pflegte, wenn die Dampfsäule zu ihm emporstieg und ihn einwickelte, und der Lokführer seinerseits gab sich Erinnerungen hin, wie er in Russland alte Dampflokomotiven gefahren war, nicht solch ein Brustkind wie dieses hier, das eine Zwölfzylinder-Diesellok von General Motors war. Und in Russland, als er selbst erst Heizer gewesen und einst in voller Fahrt feststellen musste, dass der Lokführer betrunken war, man stelle sich das einmal vor, mein Herr, und wie er selbst eigenhändig den ganzen Zug gerettet hatte, Teufel noch mal!

Felix' Augen streiften ihn voller Freundlichkeit und trieben ihn nahezu zur Geschwätzigkeit: Er zählte die wundersamen Eigenschaften seiner Lokomotive auf, die allein hundert Tonnen wog, ohne das Gewicht der Waggons mit den Fahrgästen, die zusammen auf zusätzliche hundert Tonnen kamen. Welche Verantwortung das bedeutete, und er zeigte uns ein zerdrücktes, rußgeschwärztes Anerkennungsschreiben, das er immer in der Tasche seines Blaumanns mit sich trug.

Aber dann.

»Wie es sieht aus, Herr Lokomotivführer«, sagte Felix und sah ihn einnehmend an: »Wollen Sie ein Kind wie dieses, welches hier steht, für einen Moment lassen chauffieren Lokomotive?«

Nein, dachte ich, das ist nicht sein Ernst. Ich grinste jenes Viertelgrinsen und mir schwante, wenn der Fahrer einverstanden wäre, hoffentlich, Gott behüte, hoffentlich, o Gott, würde ich sie fahren müssen, die Lok. Felix wiederholte seine Frage. Der Boden unter meinen Füßen knurrte. Die Lokomotive, ach, wie ahnungslos sie war, preschte voran. Gedankenfetzen droschen im Rhythmus der Fahrt auf mich ein: An der Lokomotive hängen Waggons. In den Waggons sitzen Menschen. Die Menschen sind unschuldig. Felix weiß vielleicht nicht, wie wenig geübt ich im Eisenbahnfahren bin. Nein, es ist untersagt, dass ein Kind eine Lokomotive fährt … Langsam sank ich auf den Schemel neben mir und überließ dem kranken Eliezer das Feld.

»Um Himmels willen!«, stieß auch der Lokführer erschüttert aus und schüttelte barsch den Kopf. »Was soll das, mein Herr? Sind Sie nicht ganz bei Trost? Sie sind doch ein erwachsener Mensch, oder nicht? Man wird mich feuern!«

Ich warf ihm ein kümmerliches Lächeln der Ermutigung zu. Aber auch Felix strahlte ihn an. Solch ein Strahlen hatte er, dieser Felix, dass jeder davon angesteckt wurde, selbst in Augenblicken, die alles andere als erfreulich waren. Und so erging es dem Lokomotivführer. Frohsinn lag ihm fern, aber Felix lächelte ihn an, begann mit den Lippen, ließ sein Lächeln ohne Eile in seine Augen steigen, und schon sprang es auf die drei scharfen, gradlinigen Krähenfüße über, und er sah aus wie ein Kinostar, der für einen Augenblick die Leinwand verlassen hat und heruntergestiegen ist, um den Sterblichen einen Besuch abzustatten, sein Lächeln wurde heftiger und immer breiter, wie eine aufgehende Sonne, die mit der geballten Glut ihrer Strahlen blendet, bis sie alles in sich getaucht hat und alles und jeder ihr ähnlich geworden ist, und die Lippen des Fahrers zogen sich ganz allmählich in die Horizontale und lächelten ohne sein Zutun.

Zu meinem Glück hatte der Lokführer außer seinem charakterschwachen Lippenpaar noch ein paar andere Körperteile aufzuweisen. Mit wütender Entschlossenheit riss er den Blick von Felix' blauer Strahlung und brummte: »Mein Herr! Bei allem Respekt – bis hierher! Jetzt gehen Sie auf der Stelle mit dem Jungen raus, oder ich –!« Aber ein Mensch wie Felix gab nicht auf. Er bekundete dem Lokomotivführer mit der Hand, ein wenig näher zu kommen, und der wich zurück, als habe man versucht, ihm ein unschickliches Angebot zu machen, aber Felix setzte erneut seine Hand ein, nein: nur seinen Finger, seinen langen, ebenmäßigen, elfenbeinernen Finger, und der Lokomotivführer stierte auf diesen Finger, der ihn zu sich rief, und flugs war sein Kopf neben Felix' silbrigem Schopf, und beide neigten sich einander zu, das Löwenhaupt mit der weißen, gewollten Haarpracht und der blanko, puterrote Kopf des Lokomotivführers mit dem Stiernacken und dem fleckigen Unterhemd.

Sie flüsterten. Der Lokomotivführer schüttelte energisch den Kopf. Ich sah, wie auf seinem Oberarm ein runder Muskel anschwoll. Felix trommelte mit seinen Fingern sanft auf die Schwellung, stimmte den rebellischen Muskel versöhnlich, klopfte ihn mit einfühlsamen, kaum wahrnehmbaren Gebärden weich ... Dieses Mal rührte der Stierkopf sich nicht. Er lauschte. Die Schultern lockerten sich ein wenig. Da wusste ich, die Angelegenheit war entschieden. Felix fügte noch ein Quäntchen hinzu und säuselte Beschwörungsformeln in ein imposantes, haariges Ohr, man konnte nahezu fühlen, wie sich seine Worte sammelten, geschmeidig und öltriefend, und sich in jenes Ohr ergossen, das nur Lärm und das Kreischen der Bremsen kannte.

Der Lokführer neigte seinen gewaltigen Kopf ein wenig und sah mich von der Seite an, nur sein linkes Auge schaute, ein Äuglein mit einem Netzwerk roter Äderchen und einer bleiernen Müdigkeit, und es war, als ob es sich bereits einer verborgenen Macht ergeben hätte, die nun ihr Spielchen mit ihm trieb.

Diese mysteriöse, obskure Kraft. Das Magnetfeld, das Felix umgab. In den kommenden Tagen wurde ich noch ein paar Mal Zeuge jener Energie, und später in den folgenden Jahren, in denen ich mehr und mehr Nachforschungen über ihn anstellte, wurden mir viele ähnliche Geschichten über ihn zugetragen, und jeder, der berichtete, behauptete, dass Felix seine Mitmenschen unterjochte – man konnte es nicht anders formulieren –, auf dass sie sich ihm fügten.

Das Faszinierende daran war, dass er dies gewöhnlich nicht mit Gewalt bewirkte, sondern im Gegenteil: als ob er zwischen sich und seinen Mitmenschen einen geräumigen, gepolsterten Abgrund der Güte, des Lächelns, der Zuneigung und der Barmherzigkeit aufriss, und sie so unsäglich nach seiner Liebe und seinem Mitgefühl schmachteten, dass sie sich fallen ließen und wie besinnungslos hinabsegelten, als wären sie nichts als die Seiten eines Märchenbuchs. Mit leichtem, flinkem Griff geruhte Felix sodann die Ränder des Abgrunds über ihnen zuzuklappen, mit einem Reißverschluss zu verschließen und weiter seiner Wege zu ziehen, während sie in der Dunkelheit der Tiefe erwachten, die sich im Handumdrehen in den Koffer eines Hochstaplers verwandelte.

Und ich? Was war mit mir? Wie konnte ich ihm weiter vertrauen? Was unternahm ich, was fühlte ich? Es war, als zerhieb man mich in zwei Hälften: Ein Teil versuchte aufzubegehren und mit spärlicher Stimme in das Ohr des Lokführers allen Lügen, zu denen dieser Felix fähig war, zu widersprechen. Ich habe bereits zugegeben, dass die zweite Hälfte – ganz und gar gegen meinen Willen – vollauf in Felix' Bann geraten war, in das Blaulicht seiner Augen und in seinen wirren Wagemut. Und der dritte Teil (es waren drei Hälften, in die ich mich zerlegt hatte) dachte: Nono, was bist du doch für ein Esel! Welches Kind aus deiner Klasse hat jemals eine Lok gefahren? Welchem andern Kind auf der Welt hat sich je solch eine Gelegenheit geboten? Was würde Vater sagen, wenn er wüsste, dass du bei so einer Sache gekniffen hast?!

»Gut«, flüsterte der Lokomotivführer und es gelang ihm nur mit Mühe, sich gerade zu halten: »Aber nur ein bisschen, etwa einen halben Moment lang, nicht mehr, es ist ganz sicher verboten ...«

Er stand schwerfällig auf und lehnte sich an die gegenüberliegende Wand. Sein großer Kopf schüttelte sich weiterhin vor Verneinung, vor Widerstand, aber seine Hände waren bereits neben seinen Körper gesunken und ein Nebel schien seine Augen zu trüben: »Aber nur kurz, das gefällt mir überhaupt nicht ...«, murmelte er erneut mit dumpfer Stimme, während sein Kopf ein paar Mal heftig auf und niederstieß, als wolle er das, was ihm widerfuhr, von seiner Erinnerung abwerfen.

»Bitte schön, Eliezer«, forderte Felix mich hocherfreut auf: »Fahr ein wenig Lokomotive!«

Ich nahm auf dem Drehstuhl des Lokführers Platz. In der rechten Hand hielt ich den Hebel, der die Geschwindigkeit regelte. Die Linke ließ ich, wie es der Lokführer die ganze Zeit getan hatte, auf der Notbremse ruhen. Undeutlich nahm ich wahr, dass der Lokführer sich über mich beugte und meine beiden Hände auf den Bremshebel legte, aber ich brauchte seinen Rat nicht. Ich stellte fest, dass ich mir unbewusst seine Handbewegungen eingeprägt hatte, als ob ich im Voraus gewusst hätte, dass Felix mir vorschlagen würde, selbst zu fahren. Ich erhöhte die Geschwindigkeit ein wenig, die Lok fügte sich knurrend. Ich war zu schnell, zumindest für den Anfang. Ich ließ die Bremse runter, die die Lok anhielt, ließ mit dem Hebel der oberen Bremse etwas Luft ab, und es stellte sich heraus, dass ich fahren konnte. Das hatte ich von meinem Vater geerbt: Er war in der Lage, in ein beliebiges Fahrzeug zu steigen und es unverzüglich zu fahren. Aber soweit ich wusste, hatte er es noch nie mit einer Lok versucht.

In jenem Augenblick dachte ich keineswegs an Vater. Ich verschwendete keinen Gedanken an ihn. Wäre er mir in den Sinn gekommen, hätte ich vielleicht bereits damals bemerkt, dass die Sache eine Seltsamkeit aufwies, eine beträchtliche Seltsamkeit. Nur ein Gedanke durchfuhr mich: Wenn ich meinen Klassenkameraden erzählte, was ich erlebt hatte, würde ich wohl auf diesen Teil verzichten müssen, den man mir eh nicht abkaufen würde. Das Signal dagegen könnte ich meiner Geschichte wiedergeben, denn in diesem Moment schien es mir ein Kinderspiel zu sein.

Ich erinnere mich, dass sich vor mir ein nicht allzu großes Fenster befand, an dem nur ein Fleck säuberlich von Staub und Schmutz befreit war, und ich sah die Schienenstränge, die mir mit wahnsinniger Geschwindigkeit entgegenrasten und unter mir verschluckt wurden. Der Lokführer stützte sich mit der ganzen Schwere seines leblosen Körpers von hinten auf mich. Nur seine Hand ließ die meine auf dem Bremshebel nicht los. Als ob sein gesamtes Lebenselixier sich auf jenen letzten schicksalhaften Punkt konzentrierte. Im Gegensatz zu ihm strahlte Felix übers ganze Gesicht: Seine Augen funkelten wie zwei blaue Diamanten. Er war überglücklich, mir dieses gigantische, verrückte Geschenk gemacht zu haben. Wir durchkreuzten die Niederung. Als flögen sie, eilten Bananenplantagen an uns vorbei, die rötliche, lehmige Erde, Zypressen, Felder, zerklüftete, sandige Böden … Zu unserer Rechten lag eine Straße, und ich bemerkte – daran erinnere ich mich noch heute –, dass ich schneller war als der rote Wagen, der sie befuhr.

Und da, auf einmal, geschah es: Alles in mir zerbarst, mit einer gewaltigen Brandung strömte die Stärke der Lokomotive auf mich ein, ihr Brüllen, ihr majestätisches Gehabe, ihr rasantes Vorwärtsstreben, das mir die Hände erbeben ließ, das Zittern kroch mir die Arme hoch und drängte in meinen Brustkorb, die Kraft war größer und stärker als ich, sie fand keinen Platz in meinem Leib, und ich begann aus voller Kehle zu schreien, eine Lokomotive von hundert Tonnen unter den Händen, wie eine große Pauke schlug es in meiner Brust, was für ein kolossales Herz mir geschwollen war, und ich zog fester und fester den Beschleunigungshebel, der Zeiger begann auszuschlagen und Haii – dii! Hundert Tonnen Lok und hundert Tonnen Waggons, nicht zu sprechen von den armen, arglosen und unwissenden Seelen! Wenn es mir gefiel, konnte ich diese Lokomotive mit mir über die Stränge ziehen, mit ihr entgleisen und durch die Felder brausen, niemand würde mich aufhalten, eintausendsechshundertundfuffzig Pferde waren vor meine Kutsche gespannt, und ich, der ich kurz zuvor ein gewöhnlicher Reisender im Zug gewesen war und noch keine Bar Mizwa hinter mir hatte, wurde jäh aus der Menge der Fahrgäste herausgehoben, man hatte mich auserwählt, sie zu führen, sie zu treiben, und ich fühlte, dass ich meine Sache gut machte, Vater wäre stolz auf mich gewesen, ich fuhr, fuhr einfach diese Lok, hatte Mut bewiesen, war nicht vor der Gefahr geflohen, ich war zu allem fähig, ohne Grenzen, ohne Gesetze, für immer und ewig –

Sie mussten ihre sämtlichen Kräfte mobilisieren, Felix und der Lokführer, um mich von dem Steuerpult loszureißen. Was sich dort genau zutrug, war mir nicht bewusst. Ich wusste nur, dass ich mich gewaltig widersetzte, damit man mich weiterfahren ließ. Ich kämpfte wie ein wildes Tier: war stärker als die beiden, denn ich bezog meine Energie direkt aus der Lokomotive, aus ihren sechzehnhundertfünfzig Pferden.

Sie bezwangen mich, natürlich. Mit vereinten Kräften zogen sie mich weg. Ich spürte, wie Felix' Arme mich schmerzhaft umklammerten. Für einen Mann seines Alters war er ungewöhnlich stark. Er warf mich auf den Schemel, die beiden neben mir atmeten schwer. Dicke Schweißtropfen perlten auf der Stirn des Lokführers, tropften auf seine Wangen und rannen auf seinen Hals. Voller Abscheu sah er mich an, als ob sich seinen Augen ein grässlicher, widerwärtiger Anblick böte: »Raus jetzt!«, befahl er, und seine mächtige Brust hob und senkte sich. »Bitte geht jetzt raus hier!«, sagte er nochmals, wobei seine Stimme sich zu einem Krächzen brach.

»Ja, ja, selbstverständlich«, sagte Felix abwesend. Er schaute auf die Uhr, die seitwärts hing, und seine Lippen murmelten ein Rechenexempel: »Es ist höchste Zeit. Seien Sie gewiss unseres Dank, Herr Lokomotivführer, und Vergebung, wenn wir haben verursacht Schaden.«

»Zum Glück ist nichts passiert«, jammerte der Lokomotivführer hechelnd, nahm seinen Kopf zwischen die Hände und fragte ungläubig: »Was war das ... wie konnte ich bloß ... genug jetzt ... Raus! Es reicht!«

»Es gibt da nur kleines Problem ...«, sagte Felix. Ich nahm schon die leise, lauernde Färbung wahr, die sich hinter seinen höflichen Worten verbarg, und Unruhe überkam mich. Auch das Gesicht des Lokführers lief auf einmal rot an.

»Wir zwei beide müssen aussteigen aus Zug schon vor Tel Aviv«, erklärte Felix, als müsse er sich rechtfertigen. Er zog ein Taschentuch aus seinem Anzug, und um die Schweißperle aufzusaugen, die während unseres Kampfes dort oben erschienen war, betupfte er sanft die Stirn. Ein dezentes Parfüm lag einen kurzen Moment lang in der Luft.

»In einer halben Stunde erreichen wir den Bahnhof. Wartet in Ruhe in eurem Abteil!«, kreischte der Lokführer und seine Finger auf dem Bremshebel erblassten.

»Bitte gnädigst um Verzeihung!«, rückte Felix ihn geduldig zurecht: »Mein Herr, vielleicht Sie verstehen nicht richtig, möglich, dass Hebräisch von mir ist nicht ganz so gut: Wir müssen aussteigen aus Zug noch vor Tel Aviv. Noch vor Wäldchen dort. Drei Kilometer, kann sein!«

Ich spähte durch das staubige Fenster. Der Zug fuhr gerade durch eine Niederung voller vergilbter Felder. Am Horizont verdichtete sich eine dunkle Masse, das musste das Wäldchen sein. Ich warf einen Blick auf die große Uhr an der Seite der Lok: Sie zeigte drei Uhr und zweiunddreißig Minuten.

»Zwei Kilometer noch«, sagte Felix liebenswürdig, »es ist besser, allmählich bisschen zu drosseln Geschwindigkeit, Herr Lokomotivführer.«

Der Lokführer drehte sich auf einen Schlag zu ihm um. Er war ein wuchtiger Mann, und in seinem Zorn plusterte er sich noch mächtiger auf: »Wenn ihr nicht unverzüglich beide von hier verschwindet«, fing er an, während seine Halsschlagadern sich blähten und wie Muskeln vorstachen.

»Anderthalb Kilometer noch«, präzisierte Felix

gelassen und blickte aus der Scheibe, »nu, und Automobil wartet bereits auf uns, bremsen, bitte schön.«

Der Fahrer wandte sich zum Fenster und sah hinaus. Seine Augen wurden groß. Neben den Gleisen stand eine schwarze, ellenlange Limousine, mit gelb lackierten Türen.

Der Lokomotivführer und ich wurden zu Blechpuppen. Mit langsamer Drehung der Köpfe richteten wir unsere Blicke auf Felix. Da sahen wir gleichzeitig, was er in der Hand hielt. Das ist unmöglich, dachte ich, ein böser Traum. Der Lokführer begriff vor mir, dass es böse war, aber kein Traum. Mit einem tiefen Seufzer kehrte er sich dem Bremshebel zu und begann den Zug zum Stehen zu bringen.

Er musste die Notbremse gezogen haben, denn meine komplette Seele wurde mir aus dem Leib gerissen und nach vorn geschleudert. Die Lok roch nach Angebranntem. Gepresste Luft entwich mit einem Pfiff. Zu beiden Seiten des Zugs sprühten Strahlen glimmender Funken, die Bremsen kreischten, und die Waggons schlingerten schwer und ächzend, bis endlich alles unterging und in Stille versank. Der Zug stand stumm. Geknechtet. Nur aus dem Motor stieg blubbernd ein gärender Laut.

Eine ganze Minute lang rührte sich niemand.

Welch grässliche Grabesstille.

Auch aus den Waggons hinter uns war nichts zu hören. Die Insassen waren gewiss erschüttert und sprachlos. Da drang das entfernte Weinen eines Kindes an meine Ohren. Ich lugte hinaus und sah, dass der Zug inmitten eines Stoppelfeldes stand. Ich erinnere mich, dass ich graue Bienenstöcke wahrnahm, die in Reih und Glied standen.

»Komm, wir müssen sputen uns ein wenig«, sagte Felix entschuldigend, zog mich vom Schemel und führte mich zur Tür.

Mir schlotterten die Knie. Er musste mich stützen und die Tür der Lokomotive mit der zweiten Hand öffnen, die immer noch den Revolver hielt. Ich schaffte es kaum, die Metalltreppe runterzuklettern. Meine Beine knickten immer wieder ein, als ob man mir vorübergehend die Kniegelenke entfernt hätte.

»Auf Wiedersehen, Herr Lokomotivführer, und herzlichen Dank für erwiesene Höflichkeit«, lächelte Felix den leblosen Mann an, der sich am Armaturenbrett festhielt, während unter seinen Achseln zwei Schweißpfützen auf dem Unterhemd auseinander flossen. »Und bitte auch um Vergebung, wenn wir haben ein wenig belästigt.« Er ging auf das Funkgerät zu, das an der Wand neben dem Lokführer hing, riss es blitzschnell und unvermittelt wie der Biss einer Schlange aus der Verankerung und durchtrennte das schwarze, spiralförmige Kabel.

»Nur zu, Herr Fejerberg,«, sagte er charmant zu mir. »Limousine wartet.«

Christoph Meckel

Drusch, der glückliche Magier

Ihr ahnt ja nicht, was für ein fauler und angenehmer Mensch ich bin. Und glücklich dazu und gar nicht eingebildet. Manche Leute bezeichnen mich als Scharlatan, aber ich bleibe bescheiden und sage: Wartet ab, bis ihr meine Geschichte gehört habt. Ja, ich bin ein Glücksfall von Magier, denn ich besitze Fähigkeiten, die mir das ausgedehnteste Faulsein und die beste Laune immer während erlauben. Ich stehle dabei keinem andern die Zeit – das mag eure Bedenken zerstreuen – und belaste niemandes Geldbeutel. Ich habe ein gutes Gewissen und schlafe ruhig. Mein Magierberuf ist ein einziger Vorteil für mich, wie ich mit meinen außerordentlichen Fähigkeiten ein einziger Vorteil für meine magischen Dinge bin.

Ihr sollt erfahren, wie ich mit meinen Fähigkeiten zum ersten Mal bekannt geworden bin – denn das ist eine gut erzählte Geschichte wert –, und ihr sollt mein Magier-Meisterstück erfahren.

Also hört mir bitte zu!

Ich, der moderne Magier Drusch, wohne, als ich jung und faul und unbeschäftigt und eigentlich gar kein Magier bin, in einer riesenhaften Weltstadt. Ich schlafe lange, frühstücke gegen Mittag auf dem Balkon, siebzehn Stockwerke über dem von Schritten und Stimmen und gewaltigen Autobussen rauschenden

Boulevard. Ich lasse mir einen Bart wachsen, denn das steht mir, ich spucke über das Geländer, denn das macht mir Spaß. In den Mittagsstunden halte ich einen längeren Schlaf, denn das bekommt mir. Benzingestank, Gas und Rauch kräuseln übel riechend an meinem Balkon vorbei, der Lärm rasselt mir in den Ohren. Qualm aus unzähligen Schloten pulvert kreuz und quer durch die Luft. Am Abend gehe ich über die großen Straßen und betrinke mich bis gegen Morgen in vielen Wirtschaften. Ja, ich langweile mich, langweile mich schrecklich, und das fällt mir eines Tages unangenehm auf.

Drusch langweilt sich, sage ich mir, das liegt ja deutlich auf der Hand. Was könnte dieses freudlose Herumleben anderes sein als Langeweile, dieser Zustand. Und ich beschließe, etwas dagegen zu tun, ich will mich nun beschäftigen, und das ist mein voller Ernst.

Und ich überlege mir, womit ich mich nutzbringend beschäftigen könnte.

Und während ich, auf meinem Balkon hoch über den dröhnenden rauchigen Straßen sitzend, in Gedanken um meine Zukunft beschäftigt bin, beginne ich mir, ausweichend, fantastische Vorstellungen zu machen. Ich stelle mir vor, wie ein geflügeltes Walross aussieht oder ein Nussknackerweibchen, ein fliegendes Seepferdchen, ein Fundevogel, der Vogel Rock, eine gähnende Riesenschnecke. Ich stelle mir das Innere des Walbauchs vor und denke darüber nach, ob der Wasseresel singen kann und wo er lebt und wie. Euch mögen diese Dinge längst bekannt sein, aber mir sind sie damals nicht bekannt, ich habe nur von wenigen Dingen eine feste Vorstellung, und wo sie mir fehlt, ersetze ich sie durch willkürliche Vermutungen. Und während ich eine Vorstellung nach der andern durch meinen Kopf gehen lasse, sie überprüfe und wieder verwerfe, sie mir ungern infrage stelle und gern als richtig bestätige, bekomme ich nach und nach den heftigen Wunsch, meinen Balkon, diese Stadt und meine riesenhafte Langeweile los zu sein. Ach, denke ich in Gedanken, was für eine Freude wäre es, einen großen, reich ausgestatteten Palast zu besitzen in einer angenehmen Landschaft, wo die Winde gut riechend spazieren fahren und der Himmel hell und ungetrübt ist. Wo es keinen Lärm, keinen schwarzen Gestank und, notabene, keine Langeweile gibt. Und ich denke noch einiges Ungefähre mehr, was meinen Palast und mich betrifft, aber ich vergesse es bald wieder. Und andere Gedanken kommen und verschütten die vorausgegangenen, und mein Wunsch nach einem Palast in angenehmer Landschaft liegt schließlich ganz zuunterst vergraben und rührt sich nicht.

Rührt sich viele Wochen nicht.

Aber an einem Morgen im Frühjahr erinnere ich mich seiner wieder genau. Habe ich nicht den starken Wunsch nach einem eigenen Palast gehabt? Habe ich, Drusch, ihn nicht laut und heftig geäußert? Hier auf dem Balkon bin ich gesessen und habe des Längeren diesen Wunsch gehabt. Man müsste nachforschen, was aus ihm geworden ist, denke ich. Man müsste sich endlich rühren, diesen Balkon und die große Stadt verlassen und ausschauen, ob der Palast nicht irgendwo aufgestellt worden ist. Meinen reichen Vorstellungen entsprechend. Ja, sage ich mir, auf diesen Wunsch hin sollte man nicht tatenlos bleiben.

So einfältig, seht ihr, bin ich, bevor ich der moderne Magier Drusch werde, der ich heute bin. Aber seid nicht voreilig und nennt mich nicht auch einfältig! Nur ich selber darf sagen, dass ich in jener Zeit, die dem Wunsche folgt, einfältig bin. Denn dieser Einfalt, sei sie wie sie wolle, verdanke ich die genauere Kenntnis meiner Fähigkeiten. Ihr werdet sehn.

Ein paar Tage noch bewohne ich, unschlüssig, meinen Balkon wie zuvor. Dann werde ich unruhig. Ich mache mir allerlei Gedanken um meinen Wunsch und meine Vorstellungen. Ich versuche, mir ihre Eigenschaften und Charaktere zu vergegenwärtigen. Welche Landschaft zöge sie vor, frage ich mich, und welche Architektur würde sie vielleicht für den Palastbau wählen. Welches Klima wäre geeignet und welcher Teil des Kontinents möglich für so einen vorbildlichen Palast, wie ich ihn mit allen besten Vorstellungen wünsche. Was könnte dies für ein Personal sein, das ihn bewohnt und in Betrieb nimmt.

Und ich lasse mir gleich Prospekte, Landkarten und Stilfibeln kommen, durchsuche die verzeichneten Gegenden nach dem möglichen Standort des Palastes, den ich mir bereits als fertig und vorhanden vorstelle. Aber ich sehe schließlich ein, dass ich mit angenehmen Fantasien nicht weiterkomme, sondern mich rühren muss, dass ich aufbreche und auf die Suche nach meinem Palast gehn muss. Dass ich jetzt gleich aufbrechen muss.

Ich verkaufe also meinen Balkon, mein Zimmer und was mir nicht weiter von Nutzen ist (so unvorsichtig bin ich, so sehr bezaubert von meinen Vorstellungen) und mache mich auf den Weg. Die große Stadt verlasse ich gern. Gewiss, ich bin mir meiner Sache nicht ganz sicher. Und ich habe vielleicht übertrieben, wenn ich gesagt habe, ich sei ein unbeschreiblich fauler Mensch.

In dieser Zeit der Suche nach meinem Palast bin ich es nicht. Eher bin ich unruhig aus Zweifel und eifrig aus Neugier. Erst in der Folge, in den späteren Zeiten der erfüllten Wünsche, bin ich wahrhaft faul.

Viele Mühe ist nun aufzuwenden.

Mit Schnellzügen bereise ich den Kontinent, um mir einen Eindruck von der Landschaft zu verschaffen. Die Sache ist mir wichtig geworden und daher bin ich sehr gründlich in allen meinen Vorhaben. Mit Autobussen fahre ich die großen Meerstraßen hinauf und hinab – ihr sollt ruhig alle Einzelheiten wissen – und schaue mir die Augen aus nach einem Landstrich, der meinen Vorstellungen und Wünschen, soweit ich in sie gedrungen bin und sie kenne – entspricht. Ich bereise die hohen Gebirge und Hügelländer und orientiere mich in ihnen. Entlang den Flüssen fahre ich tagelang bis dicht an die Quellen und Mündungen und halte Ausschau. Und um nichts auszulassen, lasse ich mich von Fährbooten und Kähnen auf die Inseln übersetzen, und schließlich glaube ich alle Teile des Kontinents zu übersehen und kann mich den Einzelheiten zuwenden.

Zu Fuß begebe ich mich nun auf die kleineren Straßen, geduldig meinen Palast in den für möglich erachteten Landschaften suchend; in den Städten brauche ich gar nicht anfangen zu suchen, denn mein Wunsch, in einer großen Stadt geboren, wird mir nur außerhalb der Städte einen Palast zum Geschenk machen. Nein, ich muss durch die Dörfer gehn, durch die großen menschenleeren Landschaften. Auf die Berge muss ich klettern und um große Seen laufen. Durch die weiten Ebenen und Wiesenländer muss ich mich schlagen und lange Hügelketten überqueren.

Und ich laufe oder radle, wie ich mir vornehme, durch weite Landschaften entlang den alten und großen Wäldern, überquere Flüsse und Hügel und steige die Täler hinauf bis zu den riesigen Schotterhalden und Urwäldern. Ich sehe großartige, von Parks und dichten Gehölzen umgebene Wohnsitze und Prunkbauten, denen ich mich nur nähere, um mich zu vergewissern, dass mir mein Wunsch keinen Streich spielt und mich etwa mit so einem alten Kasten belastet. Ich fahre durch die Wohngegenden der Millionäre und Staatsmänner und betrachte mir ihre Villen und pompösen Lebehäuser, besorgt, mein Palast könnte aus Versehen oder Nachlässigkeit dazwischen geraten sein. Ja, ich fordere von meinem Wunsch die feinste Wahl des Standorts meines Palastes. Sehr anspruchsvoll bin ich geworden, das ist mir wohl bewusst.

Und ich setze meinen Weg fort durch die entlegenen Gebiete, fahre entlang am Rand der goldgelben, sonnenbeladenen Wüstenstriche, durchstöbere kleine, in Wiesen versunkene Weiler, Farmen und verfallene Tempelgelände. Verschilfte Meerbuchten und Seeufer suche ich auf und quere die großen Ebenen an heißen Tagen. Ich mache Halt an respektablen Bauten und großen Häusern und Palästen, die meinen Vorstellungen ähneln, dringe zweifelnd, vermutend, hoffend in sie ein. Aber da ich alte Männer auf zertretenen Treppenstufen sitzen und Karten spielen sehe, oder da ich sehe, dass an den schönen Wänden, die zu meinem Palast gehören könnten, Fenster aufgestoßen werden und griesgrämige Gesichter, umflattert von spinnebeinigen Haaren, mich anstarren und rufen, was ich da will und wer ich bin, wo ich herkomme und was mir eigentlich einfällt, und meinen Koffer böse ins Auge fassen und meinen Strohhut und mein verstaubtes Fahrrad, und da die Hunde kläffen, sobald sie mich sehen – dann, nicht im Geringsten enttäuscht oder entmutigt, mache ich kehrt auf der Stelle und sage mir: Mein Palast ist von anderer Art. Und setze meinen Weg fort.

Lange, sehr lange suche ich, und die Suche, die mir schließlich auch Mühe und Ärger bereitet, fängt an, mich ungeduldig zu machen. Und später, an einem Mittag in Sonne und leichtem Wind, sehe ich, in der Nähe des Meeres über einen Hügel kommend, vor mir ein großes, einsam stehendes Gebäude in der grasigen Ebene.

Das ist mein Palast, denke ich auf den ersten Blick. Kein Zweifel. Und auch der zweite und dritte Blick bestärken mich nur in meiner Gewissheit. Da setze ich mich ins Gras auf den Hügel und rauche eine Zigarette, sehr zufrieden, wie ihr euch denken könnt. Sehr erleichtert, wahrhaftig. Sehr müde, sehr erleichtert und sehr zufrieden.

Ich habe meinen Palast gefunden!

Nun lasse ich mir Zeit. Mit den besten und angenehmsten Vermutungen schlendere ich vom Hügel und begebe mich – ja, wie ein König begebe ich mich – zu meinem Palast, hinter dem der Ozean grün aufleuchtet. Schon die Ummauerung des zum Palast gehörigen großen Wiesenlandes gefällt mir sehr. Stark ist die Mauer und weiß und von hohen Farnen bewachsen. Ich suche das Tor und finde es vergittert und das Gitter geschlossen. Ich vermisse die Glocke zum Läuten, den außen hängenden Schlüssel zum Aufschließen des Tors. Das, sage ich mir, sieht meinen Vorstellungen kaum ähnlich. Aber ich lasse mich nicht abschrecken, stecke meinen Koffer durch das Gitter, lehne mein Fahrrad gegen die Mauer und klettere selbst über sie. Das Gras um den Palast steht hoch und voll, es duftet kühl und frisch. Ich folge einem kleinen Trampelpfad und bleibe stehn, um mir den Palast kritisch aus der Nähe zu betrachten. Ein großer weißer Block mit einer einzigen großen gelben, alles überwölbenden Kuppel und einem stattlichen schwarzen Wetterhahn obenauf, unbeweglich in den leichten Meerlüften. Das ist mein Palast. Es rührt sich nichts um ihn.

Mit den heitersten Empfindungen trete ich durch eine unverschlossene niedrige Tür ein. Beinahe stolpere ich, denn auf der Innenschwelle liegt ein großer schwarzer langhaariger Hund und schläft. Ich steige vorsichtig über ihn und folge einem dunklen langen Gang, der in einer breiten Diele endet. Hier steht eine Kuckucksuhr, weder pfeifend noch tickend, die beiden Kuckucke blicken in das Uhreninnere, ich kann nur ihre kleinen Holzrücken sehn. Eine Strickleiter hängt aus einer Luke in der Holzdecke. Ein kleiner rotblättriger Baum wächst aus einer Lücke zwischen den Bodenbrettern. Und ein eselsgroßer Elefant aus Holz mit schwarzgläsernen Augen steht inmitten der Diele. An ihn gelehnt sitzt ein großer dünner Mann im weißen Kittel, schnarchend. Ja, das alles gefällt mir überaus gut. Ich bin schon sehr zufrieden, wisst ihr, und guter Laune. Der weiß gekleidete Schläfer schläft ungeachtet meiner widerhallenden Schritte. Ich schaue in seine Kitteltasche. Eine rot und blau gedruckte Zeitung steckt darin, ein Seepferdchen und ein Salzfass. Das macht mir Vergnügen, wie ihr euch denken könnt.

Später klopfe ich an eine verschlossene Tür. Sogleich bewegt sich etwas dahinter, wie ich höre. Ich warte eine angemessene Weile, und ein Haarschopf schiebt sich durch den Türspalt. Mit verschlafenen und erstaunten Augen werde ich lange beäugt.

»Ja, endlich habe ich meinen Palast gefunden«, sage ich, um etwas zu sagen, »ich bin der Drusch, dem dieser Palast gehört, du weißt gewiss Bescheid.«

Der Bursche antwortet mir nicht, sondern zwängt sich an mir vorbei und weckt den schlafenden Weißkittel auf der Diele. Der springt auf mit roten Backen und klaren Augen, mustert mich abschätzend von Kopf bis Fuß und von Fuß bis Kopf, dann tuscheln beide und flüstern und lassen mich ungewiss warten.

So, sagt der Bursche schließlich, der Drusch bist du also, sollen wir dir das glauben?

Ihr müsst mir wohl glauben, sage ich, aber ihr könnt es ganz gewiss, denn Drusch heiß ich, Drusch bin ich, dem Drusch gehört der Palast und keinem andern. Aber wer seid ihr?

Der Twingel bin ich, sagt der Bursche.

Wer ich bin?, sagt der Weißgekleidete, Ohngefehr bin ich, der Koch des Hauses. Aber warum hast du so verstaubte Kleider, wo kommst du her? Warum kommst du nicht auf einem Riesenauerhahn geflogen und pfeifst uns aus dem Schlaf?

Wisst ihr, ich habe dieses Haus, das mein Haus ist, seit Monaten gesucht, sage ich, und setze mich auf den Elefanten, ich bin Tausende von Kilometern gereist, um es zu finden. Hunderte von Kilometern bin ich mit dem Rad gefahren und zu Fuß gelaufen, und dabei bin ich struppig und staubig geworden. Nichtsdestoweniger bin und bleibe ich Drusch. Seit wann, frage ich, seid ihr in diesem Haus?

Wir?, sagt der Koch, wir sind schon immer hier gewesen. Wir haben dich lange erwartet und vermuteten, du würdest eines Tages auf die angedeutete Weise erscheinen. Darum haben wir ruhig geschlafen.

Ja, sagt der Twingel, das stimmt, ich kann es bestätigen.

Und ich frage: Erinnert ihr euch, wann das Haus hier in der Ebene am Meer aufgestellt worden ist und von wem, und wo es vielleicht vorher gestanden haben könnte?

Das Haus?, sagt der Koch, das Haus steht schon immer hier, ich erinnere mich nicht, dass es je woanders gestanden haben könnte.

Das stimmt, sagt der Twingel, ich kann es bestätigen.

Gut, sage ich, wie es auch immer gewesen sein mag – einen großen Hunger habe ich, wer könnte uns wohl etwas Fantastisches kochen?

Seht ihr und so habe ich meinen Palast gefunden. Der Koch hat sogleich gekocht, der Twingel hat mein Fahrrad ins Haus geholt, dann haben wir gegessen und uns während des Essens kennen gelernt und befreundet. Das ist, wenn man ein gutes Essen zu essen hat, das Einfachste von der Welt.

Mein Wunsch hat sich besser erfüllt, als ich erwartet habe. Meine Vorstellung hat sich weit übertroffen. Sie hat sich übertroffen um einen meisterlichen Koch und einen gewitzten Burschen, um die Nähe des Meers, um das volle frische Gras und den gewaltigen Himmel voller Licht. Sie hat sich übertroffen um einen klugen sprechenden Hund (jener, den ich schlafend auf der Schwelle fand), mit dem ich lange kluge Gespräche führe an den hellen meerleuchtenden Mittagen und Abenden. Sie hat sich übertroffen um einen prächtigen Wetterhahn auf der gelben Kuppel und um eine riesenhafte Schnecke, die, Selbstgespräche führend, um den Palast hastet (Twingel pflegt und füttert sie) und an der ich meine Zeit zähle, denn hat sie den Palast zweimal umkrochen, geht ein Tag zu Ende. Sie hat sich übertroffen um eine Vielzahl heller großer Zimmer, in denen ich soeben sitze und diese meine Geschichte aufschreibe, im Übrigen rauche, Whisky trinke, nachdenke und Romane lese, um die mich mein Wunsch übertroffen hat, denn sie sind köstlich und in keiner Bibliothek des ganzen Kontinents noch einmal zu finden. Sie hat sich übertroffen durch die Tatsache, dass ich hier ungehindert faul sein und mir eine heitere Zufriedenheit bewahren kann, die auf Koch und Bursche belebend wirkt, sodass wir uns nur singend durch die Räume und Stockwerke unterhalten – kurz, sie hat sich selbst übertroffen.

Ein Meisterstück, ihr müsst es zugeben.

Seit dem Tag, da ich mich in meinem Palast befinde, habe ich ein unbeschränktes Selbstvertrauen. Und eine genauere Ahnung von meinen Fähigkeiten, aber nicht die geringste Kenntnis von ihren Funktionen und Machenschaften. Ja das ist seltsam, und da ihr alles Übrige wisst, sollt ihr auch das erfahren. Seht ihr, wenn ich eine starke Vorstellung von einer Sache habe, eine deutliche Idee und beide in einen unerbittlichen Wunsch kleide, dann kann ich sicher sein, dass eintrifft, was ich mir wünsche. Meine Vorstellung muss klar, meine Idee übersichtlich und mein Wunsch stark, anhaltend und unnachgiebig sein. Es dauert seine Zeit, aber ich kann die Gewissheit haben, dass mein Wunsch sich erfüllen wird. Meine einzige Aufgabe ist die, Ideen zu haben, Vorstellungen und Wünsche, und das ist auch meine glücklichste Fähigkeit. Was dazwischen geschieht, und wann und wo – die Verwirklichungen, die ganze lange schwierige magische Arbeit – geschieht ohne mein Wissen und Zutun, und nichts davon belastet mich oder streift mich im Traum. Ihr seht, ich kann es mir leisten, ein fauler, angenehmer und freundlicher Mensch zu sein. Ich frage auch nicht nach den Gründen, die mich von der Teilnahme an den geheimen Vorgängen ausschließen. Ich lasse das Verborgene verborgen sein. So klug bin ich schon.

Ja, ich schreibe dies an einem glänzenden Mittag in meinem Palast am Meer. Ich schreib es mir zur Gewissheit und euch zum Vergnügen, während ich an meinem Wunschtisch sitze hinter einem Fenster, durch das ich das grün schimmernde Meer hinter den langen Wiesengründen rollen und schäumen sehe, rauschen höre. Große Fische tauchen und streben vorbei, ich kenne die meisten und rufe sie mit Namen. Und der Wind fährt um die Kuppel meines Hauses und der Himmel steigt über dem Meer.

Freilich habe ich immer wieder Wünsche. Jeden Morgen habe ich ein paar neue Wünsche, große und kleine, aber da sie sich mir ohne Schwierigkeit erfüllen, einzig unter der Bedingung, dass ich ein fauler, heiterer und freundlicher Mensch bin und bleibe, hat mein Wohlbefinden keine Schattenseite, deren ich mir bewusst wäre. Ich weiß, dass ich zufrieden bin, ich weiß es wahrhaft zu schätzen und ich langweile mich nicht im Geringsten dabei.

Ich muss allerdings manchmal dem Koch eine lange Nase wachsen lassen, denn er neigt zum Dahindösen am hellen Tag, zum Essen-Anbrennen-Lassen und anderen kleinen Nachlässigkeiten. Für eine halbe Stunde, nicht länger, muss er dann eine lange Nase tragen, aber er hat einen guten Charakter und unterbricht sich nicht beim Singen oder Schnarchen, wenn er plötzlich seine Nase wachsen sieht. Er lacht sogar über die Nase. Ich selbst lasse mir manchmal zur Gesellschaft eine lange Nase wachsen, um ihn nicht übermäßig zu demütigen. Das gehört zum alltäglichen Wunschgeschäft, das sind die beiläufigen Dinge, kaum der Rede wert.

Jetzt eben, während ich sitze und schreibe, bumst es an die Palasttür, ich muss zu schreiben aufhören (es ist sogar von Vorteil für meine Geschichte, dass es klopft, denn selbst den Neugierigsten könnte meine Geschichte, wenn sie zu lang wird, am Ende gähnen machen), ich muss zu schreiben aufhören, denn ich vermute, dass der von uns allen gewünschte Elefant eintrifft, mit dem wir am Meer entlangreiten wollen. Den Grund dieses Wunsches wissen wir nicht genau. Laune, Vergnügen, Übermut? Wir wissen es nicht.

Ich habe ihn mir gewünscht, wie ich mir den Mond am Tage und den Kuckuck im Winter wünschte, wie ich mir eine Frau auf mein Sofa wünschte und wie ich mir wünschte, in meinem Wiesenland eines Tages einem berufsmäßigen Magier zu begegnen, was auch der Fall war und wobei ich viel profitierte.

Twingel hat gewiss schon die Tür aufgemacht. Meine Anwesenheit ist nötig, wenn wir den Elefanten willkommen heißen. Also lasst mich hier aufhören und hinuntergehn. Ich freue mich auf den Elefanten. Stellt

Uwe-Michael Gutzschhahn

Das Möwenzeichen

Jan bemerkte den Alten nur wegen der Möwen. Mehr als zwanzig von ihnen gingen, nachdem sie lange im Wind liegend über dem Brückenkopf gekreist waren, eine neben der anderen auf dem rostigen Eisengeländer nieder; die Erste ganz hinten, dann jede der anderen einen Platz weiter, vorn, alle im gleichen Abstand.

Aufgereiht hockten sie da, hörten zu schreien auf und hielten ihre gelben, vorn gekrümmten Schnäbel auf gleicher Höhe in Richtung des alten Manns.

Der rührte sich ebenso wenig wie sie. Klein und unscheinbar saß er in seinen abgewetzten Manchesterhosen und dem zerschlissenen Seemannspullover auf einer Bank im Windschutz des Zollhäuschens.

Der Blick des Manns war ganz auf die Möwen konzentriert. Nichts schien seine Augen ablenken zu können. Er musste die Tiere mit seinen Augen auf dem Geländer gebannt haben. Kein Vogel, der die gelungene Formation mit einem Flügelschlag störte. Es wirkte wie eine perfekte Zirkusnummer.

Jan stand staunend. Auch er bewegte sich nicht, hielt nur den Blick auf das Geländer mit den reglos hockenden Tieren fixiert.

Es war sein erster Morgen auf der Insel. Drei Wochen Ferien standen ihm bevor, in denen seine

Eltern abwechselnd zum Tennisplatz, an den Strand und zum Essen gehen würden.

Jan spürte auf einmal in sich eine wachsende Lust, die Möwen aufzuscheuchen, die wie in Hypnose auf dem Geländer hockten.

Es würde ein langweiliger Urlaub werden. Jan wäre viel lieber zu Hause geblieben. Da hätte er wenigstens sein eigenes Zimmer und den PC mit all den Computerspielen gehabt.

Er schaute wieder zu dem Mann hinüber, der noch immer die Möwen in seinem Bann hielt. Mit einem Mal fiel Jan etwas Besseres ein. Es war öde, einfach die Vogelformation zu zerstören. Passender wäre es, die Vögel genauso kunstvoll in Formation wieder auffliegen zu lassen, wie sie sich auf das Eisengeländer vor dem Alten niedergelassen hatten. Wenn ich vorsichtig laufe, ganz knapp am Geländer entlang, überlegte Jan, dann müssten die Möwen genau in umgekehrter Reihenfolge starten. Ich muss nur aufpassen, dass ich ganz dicht am Geländer bleibe.

Er lief den Weg in Gedanken. Auf keinen Fall durfte er beim Laufen die Arme zu weit nach vorn schwenken. Überhaupt musste er jedes ruckartige Vorwärtsschießen seiner Bewegung vermeiden. Sonst bemerkte womöglich eine der Möwen zu früh seinen näher kommenden Körper, flatterte auf und riss, die ganze Ordnung zerstörend, die anderen Tiere mit.

Jan wusste, er musste so laufen, dass nur das linke Auge des vordersten Vogels seine Bewegung wahrnahm. Wenn die zuvorderst hockende Möwe dann aufstieg und in weitem Bogen über den Brückenkopf aufs Meer hinausflog, durfte wieder nur die nächste mit ihrem linken Auge erkennen, dass Jan auf sie zu lief, und wenn auch sie startete, war die dritte Möwe an der Reihe, und die vierte durfte ihn erst wahrnehmen, wenn die dritte vom Geländer abgehoben hatte und den ersten beiden hinaus aufs Meer gefolgt war. Und auf diese Art musste es immer weitergehen bis zur letzten Möwe ganz hinten auf dem Geländer. Natürlich durfte während der ganzen Zeit unter den Tieren nicht die geringste Unruhe entstehen. Nur dann würde es eine zirkusreife Nummer geben.

Jan war sich sicher, er würde es schaffen. Langsam straffte er seine Glieder, spannte seine Muskeln und verharrte noch einen Moment mit schon angewinkeltem Bein und angewinkelten Armen. Er sah jetzt aus wie einer dieser Straßenkünstler, die er von zu Hause kannte und die sich so konzentrieren konnten, dass sich die Bewegungen in äußerstem Zeitlupentempo und ohne geringste unkontrollierte Zuckungen vollzogen.

Aber dann fiel Jan in den ersten Schritt. Er stürzte fast aus der Erstarrung und schoss nach vorn. Er wusste sofort, dass alles verkehrt lief, aber er konnte dem Druck nicht standhalten, der ihn in den Lauf beugte. Er spürte den Schlag seiner Füße auf der Pflasterung des Brückenkopfs. Und jetzt trampelte er um so kräftiger, mit einer ohnmächtigen Lust, die Formation der Vögel zu zerstören.

Die Möwen schrien mit ihren klagenden Stimmen und flogen alle gleichzeitig empor, wild durcheinander flatternd. Sie stoben in scharfem Bogen nach hinten über das träge gegen die Mauer dümpelnde Wasser davon.

Erst da kam Jan wieder zur Besinnung. Willenlos bewegte er seine Beine noch ein paar Schritte vorwärts und blieb dann enttäuscht stehen. Seine Glieder waren schlaff wie nach einem verlorenen 800-Meter-Lauf.

Jan sah zu dem Mann auf der Bank hinüber. Er erwartete einen strafenden Blick. Das war das Mindeste, womit er zu rechnen hatte. Doch der Mann saß noch immer genauso da wie vorher. In vollkommener Ruhe. Nur die Augen gelöst. Und er lachte Jan sogar zu.

Was war das für ein eigenartiger Typ? Hatte Jan denn nicht gerade seine Dressurnummer mutwillig zerstört? Wie konnte er da lachen, als ob überhaupt nichts geschehen wäre?

Jan ärgerte sich, dass ihm die Nummer derart missraten war. Er hätte dem Mann unheimlich gern mit einer gelungenen Abflugformation imponiert. Bestimmt hätte sich daraus ein Gespräch ergeben. Ein Gespräch mit einem richtigen Dompteur, das wäre etwas gewesen. Davon hätte er vielleicht den anderen Jungen erzählen können, wenn die Schule nach dem Sommer wieder anfing. Die hätten bestimmt Augen gemacht.

Jan zögerte einen Moment. Vielleicht würde er die Sache auch lieber für sich behalten. Ja, dachte er, das ist wahrscheinlich besser. Die haben sowieso keine Ahnung von einer gelungenen Zirkusdressur.

Auf jeden Fall stand für ihn fest, dass der Alte auf der Bank ein Dompteur war. Möglicherweise war ja die Möwendressur nur ein persönliches Hobby dieses berühmten Zirkusstars und in der Manege bändigte er fünf ausgewachsene Löwen. Unbestritten wusste er jedenfalls mit Tieren so umzugehen, dass sie seinem Willen gehorchten.

Jan stellte sich vor, wie begeistert der Alte gewesen

wäre, wenn er, Jan, ihm die Abflugformation der Möwen perfekt vorgeführt hätte. »Gut, mein Lieber, sehr gut!«, hätte der Mann ihm zugerufen und Jan wäre lässig ein paar Schritte auf die Bank zu getreten, ganz cool, und hätte ihm erklärt, dass das doch denkbar einfach ist, wenn man sich nur wirklich auf die Aufgabe konzentriert und jeden Schritt vorher genau überlegt.

Der Alte hätte ihn nach dem Gespräch ganz sicher in seinen Zirkus eingeladen. Und dafür hätte Jan ihm den Trick mit dem verdeckten Blickwinkel der nebeneinander hockenden Möwen verraten. Aber jetzt ging das alles nicht mehr.

Immer noch sah der Mann mit ruhigem Blick zu ihm herüber. Die Ruhe und Ausdauer, mit der ihn der Alte ansah, machten Jan nervös.

Irgendwie schien der Mann auf ihn zu lauern. Jan dachte: Der grinst, als ob er irgendetwas erwartet! Und er sperrte sich dagegen, auf den Mann zuzugehen, obwohl er seinen ganzen Willen dazu aufbringen musste.

Er fühlte eine grundlose Wut gegen den Mann in sich aufsteigen. Die Wut wuchs, je deutlicher er spürte, dass es der Alte mit dem, was er wollte, nicht eilig zu haben schien. Er winkte Jan nicht zu sich. Er rief ihn nicht. Er sah ihm nur fest ins Gesicht und lächelte. Sonst geschah nichts. Der Alte saß regungslos auf der Bank vor dem Zollhäuschen.

Jan hielt seinem Blick nicht stand. Er spürte, wie er unter dem Blick des Alten unsicher wurde. Wie er auch immer versuchte, sich dagegen zur Wehr zu setzen, er musste wegucken.

Dieser steinalte Greis!, sagte Jan zu sich selbst und

stachelte seine Wut gegen den Mann noch weiter an. Was hat der zu grinsen? Der ist doch uralt! Asbach! Wieso hockt der überhaupt hier auf der Anlegebrücke? Und mit so abgewetzten Klamotten! Hose und Jacke, die sind ja noch hundert Jahre älter als er. Und der wagt es, mich einfach anzugrinsen? Wieso darf der so grinsen? Er lacht mich aus!

Jan dachte: Wenn der jünger wär, dann wäre es vielleicht gefährlich mit ihm. Aber so? Ich bin allemal schneller als dieser Steingreis. Das steht wohl eindeutig fest. Jede Wette, ich bin mindestens dreimal so schnell wie er. Im Laufen sowieso. Aber auch sonst. Wir könnten es ja mal mit meinen Computerspielen versuchen. Ich geb ihm das leichteste. Trotzdem: keine Chance für ihn. Ich habe ihn voll in der Hand.

Und wenn er mich fragt, warum ich die Abflugformation der Möwen versaut hab, kann ich immer noch sagen: »Mach's doch besser, Opa!« Wetten, er schafft's nicht?

Das gab Jan ein bisschen Sicherheit zurück. Er hob wieder den Blick und sah, dass der Alte unverändert auf der Bank saß und ihn noch immer genau im Auge behielt.

Aber zugleich ließ Jan es geschehen, dass der Widerstand brach, den er der Bewegung auf den Mann zu entgegengesetzt hatte. Gerade so eben schaffte er es noch, eine gewisse Lässigkeit in seinen Schritt zu legen, und es schien ihm dadurch wenigstens, als schlenderte er nur einfach in Richtung Bank, etwa so, als wollte er in Wirklichkeit gar nicht zu dem Alten, sondern bloß einfach an ihm vorbei.

Als er aber gerade auf die Höhe des Alten kam, der seiner Bewegung mit unverändert ruhigem Blick gefolgt war, sagte der plötzlich zu ihm: »Die Möwen sind klug. Man kann sie nur schwer überlisten.«

Das warf Jan aus der Bahn. Gerade so, als ob ihn der Alte mit einem Lasso gefangen hätte. Ruckartig blieb Jan vor der Bank stehen und wandte dem Mann sein Gesicht zu wie ein verdutztes Wildpferd, das man eingefangen hat.

Wieso wusste der Alte, dass er die Möwen nicht einfach hatte aufscheuchen wollen? Jan hatte seine Idee doch nicht einmal ansatzweise verwirklicht. Er schaffte keinen Schritt mehr vorwärts.

Der Mann hatte sein Lächeln jetzt wieder gegen das breite Lachen eingetauscht. Er schien zufrieden, wie er Jan verblüfft hatte, dass er nicht bloß Dompteur war, sondern auch anderer Leute Gedanken lesen konnte. Doch irgendwie wirkte sein Lachen nicht bösartig. Es schien nicht, als wolle er damit seine Überlegenheit deutlich herausstellen, wie das die meisten Erwachsenen in ähnlichen Fällen taten.

Seine Stimme klang freundlich, als er sagte: »Ich habe dir zugesehen. Ich habe dich die ganze Zeit beobachtet, wie du dir den Weg am Geländer entlang überlegt hast, auf dem dich nur immer der vorderste Vogel wahrnehmen sollte. Das war klug. Nicht wahr, es stimmt doch? Du wolltest den verdeckten Blickwinkel der Möwen ausnutzen, um sie eine nach der anderen auffliegen zu lassen, nicht alle gleichzeitig. Ich habe erkennen können, was du vorhattest. Ich habe ja Zeit, genau hinzugucken und mich nicht ablenken zu lassen. Was soll mich hier ablenken? Doch dir fehlt noch die Ruhe. Du hast keine Ausdauer. Macht aber nichts. Solange dir alles neu ist, was du siehst, ist es schwer, etwas in Ruhe zu tun. Aber es lernt sich, wenn du erst alles hier kennst. Dann wirst du auch ganz anders laufen lernen.«

Der Mann hörte auf zu reden und sah einen Moment wie abwesend auf den Jungen.

Jan schwieg. Es war ihm unmöglich, dem Alten zu antworten, der so viel über ihn wusste. Wie kann einer alles über den anderen wissen? Die Frage kreiste in seinem Kopf.

Nach langem Schweigen fuhr der Mann fort: »Du musst dich den Möwen nähern wie der Schatten einer Wolke. Ganz geräuschlos. Und langsam, indem du dein Gewicht allmählich mit gleichmäßigen Bewegungen verlagerst. Ganz geschmeidig. Die Möwen dürfen nicht merken, dass du es bist, der sich nähert. Du musst sie glauben machen, dass dein Schatten von etwas Fernem herrührt. Von etwas, das sie nicht wirklich erreichen kann. So wie ein Wolkenschatten, der sich langsam über sie schiebt. Du musst alles vermeiden, dass sie plötzlich unruhig werden. Nichts Bedrohliches darf von deiner Bewegung für sie ausgehen. Es ist nicht leicht, seinen Schritt so harmlos gleitend wie den Schatten einer Wolke über die Tiere zu schieben. Es braucht sehr viel Übung. Und Konzentration. Du musst dich ganz auf die Tiere besinnen und darfst dich von nichts ablenken lassen.«

Jan war vollkommen verwirrt. Noch immer brachte er keinen Ton heraus. Er begriff überhaupt nicht, was der Alte vor ihm auf der Bank erzählte. Die Sätze verschlangen sich ineinander und waren ein unlösbar verknotetes Knäuel. Die Sätze verschleierten sich und gaben Jan keinen Sinn mehr preis. Sie waren unmöglich zu begreifen. Sie waren wie Zaubersprüche, Beschwörungsformeln, die in ihn eindrangen und seinen

Körper durchzogen. Sie schwammen in schweren Zügen durch seine Blutbahn wie große Fische mit ihren gleichmäßigen Bewegungen. Jan spürte nur den Ton der Stimme, mit der der Alte sprach, langsam in seinem Körper schwingen und sich ausbreiten.

Sein einziger Gedanke kreiste um die Frage: Wie hatte der Mann wissen können, dass er die Möwen in umgekehrter Reihenfolge, wie sie gelandet waren, auffliegen lassen wollte? Aber er konnte sich auf keine Antwort besinnen. Jeder Versuch einer Antwort löste sich in nichts auf.

Nicht nur, dass Jan sein Vorhaben mit den Möwen missglückt war, noch ehe er es ansatzweise in die Tat umgesetzt hatte. Er glaubte sich auch zu erinnern, dass der Alte in dem Moment gar nicht zu ihm hinübergesehen hatte, sondern seine Augen bloß starr auf die Möwen gerichtet hielt. Die Tiere waren ja in seinem Bann gewesen. Er hatte sie also notwendigerweise fixieren müssen. Aber wie konnte der Mann dann gleichfalls alles über ihn wissen? Was er vorgehabt hatte und wie er es anstellen wollte. Der Alte musste ein Hellseher sein.

Ein Hellseher? Jan merkte mit einem Mal, wie sich der Gedanke in seinem Kopf festsetzte. Es schien die erste klare Vorstellung, die er wieder fassen konnte. Ja, der Alte war ein Hellseher. Jeder andere Gedanke verschwand schlagartig aus seinem Kopf. Auch jeder Versuch, jede Anstrengung, den Mann, der immer weiter mit ruhiger Stimme auf ihn einsprach, noch zu verstehen. Der neue Gedanke schwemmte alles endgültig fort.

So wie die Stimme zu ihm sprach, konnte sie ohne weiteres ein geheimnisvolles Orakel sein. Jan überlegte, dass der Alte vielleicht doch kein Zirkusdompteur war, wie er ursprünglich angenommen hatte. Nein, diese Art von Zauberer war er ganz bestimmt nicht. Eher war er so etwas wie ein Magier. Ein Magier, der die Gedanken anderer Menschen lesen konnte. Ein Magier vielleicht, der sogar die Gedanken anderer Menschen bestimmen und lenken konnte. Magier, das waren Weise. Gestalten aus einer anderen Zeit. Unsterbliche, die die Welt mit ihren Gedanken, ihren magischen Kräften beherrschten.

Jetzt verstand Jan auch, wieso der Mann diese uralten, unmodernen Kleidungsstücke trug. Das war doch ganz klar: Ein Magier ging ja nicht einfach irgendwo in einen Laden und kaufte sich irgendwelche neumodischen Klamotten wie seine Eltern, wenn sie zu Hause auf Einkaufsbummel gingen. Bestimmt konnte sich kein Magier für Samstagmorgen-Bummel begeistern. Ein Magier lebte einsam und unberührt von den Körpern der anderen. Wie sollte das im Geschiebe einer Großstadt-Einkaufsstraße an einem Samstagmorgen gelingen, wenn alle Welt unterwegs war?

Nicht dass Jan bisher auf die Idee gekommen wäre, sich Magier in Seemannspullovern und weiten, abgewetzten Cordhosen vorzustellen. In den Büchern, die er über Magier gelesen hatte, trugen sie wogende, sternenbesetzte Mäntel. Aber das war natürlich Unsinn. Nie könnte ein Magier dann unberührt bleiben. Alle Menschen würden ihn sofort erkennen und seinen glänzenden dunkelblauen Seidenmantel berühren wollen, um etwas von der Erleuchtung des Weisen auf sich zu ziehen. Jan verstand das jetzt. Wie hätte ein Magier mit einem Sternenmantel unerkannt auf der Erde wandeln sollen?

Magier verbargen im Allgemeinen ihre Existenz vor der Masse der Menschheit. Sie suchten sich nur gezielt Einzelne aus, denen sie sich offenbarten. Das geschah, indem sie Zeichen aussandten, mit denen sie prüften, ob der Auserwählte tatsächlich für ihre Signale empfänglich war und ihnen antworten konnte. Wer diese Prüfung bestand, dem gaben sie sich zu erkennen und machten ihn zu ihrem Medium. Vielleicht war es ja so, dass sie dann dem Auserwählten tatsächlich irgendwann in ihrer ganzen Pracht erschienen, mit glänzendem, sternenbesetztem Seidenmantel. Aber nicht jedem. Und auch nicht, wenn sie gerade mit jemandem zum ersten Mal in Kontakt traten.

Erst jetzt fiel es Jan wie Schuppen von den Augen. Die Möwen! Natürlich! Die waren das Zeichen des Magiers gewesen. Weshalb war Jan denn wohl sonst mit einem Mal auf die Idee verfallen, die Möwen in umgekehrter Reihenfolge starten zu lassen, wie sie auf dem Geländer gelandet waren? Schlagartig war der Gedanke da gewesen, als er den Mann auf der Bank entdeckt hatte. Jan hatte selbst nicht gewusst, warum.

Jetzt war alles klar. Er hatte etwas von dem Zeichen aufgeschnappt, das der Magier versuchsweise aussandte. Er war einen Augenblick lang in die Magie des Möwenzeichens geraten und hatte zu antworten versucht.

Aber er hatte sich nicht genügend auf das Zeichen konzentriert. Plötzlich hatte er es nicht mehr verstanden. Gerade so, als wäre es ihm wieder entglitten und als hätte er sich nicht einmal mehr besinnen können, was es von ihm verlangte.

Hilflos hatte er die Möwenformation zerstört. Alle magischen Kräfte waren aus ihm gewichen und es war unmöglich geworden, von neuem Kontakt zu dem Zeichen aufzunehmen. Er hatte es einfach nicht mehr verstehen können. So wie danach eben alles von ihm abgeprallt war und er nichts begriffen hatte, als der Alte ihm von Wolken und Schatten sprach, die sich über Möwen schoben. Jan hatte jeden Kontakt zu dem magischen Zeichen verloren gehabt. Er war nur ganz kurz mit dem Magier auf gleicher Wellenlänge gewesen, der sich ihm auf der Bank zu erkennen gegeben hatte. Aber jetzt war der Kontakt Gott sei Dank wiederhergestellt. Jan wusste jedenfalls endlich genau, wen er vor sich hatte. Es gab keinen Zweifel mehr. Er war glücklich, dass er es noch rechtzeitig begriffen hatte.

Jan verstand jetzt auch endlich, warum der Alte die ganze Zeit gelacht hatte, sogar dann noch, als Jan ihm versehentlich die Möwenformation zerstört hatte. Der Magier war trotz des nur kurzen Kontakts froh gewesen, dass Jan überhaupt sein Zeichen erfasst und zu antworten versucht hatte. Die meisten Menschen, mit denen der Magier in Kontakt zu treten versuchte, blieben natürlich unberührt und beachteten die Formation der auf dem Geländer aufgereihten Möwen gar nicht. Bei Jan hatte der Magier zum ersten Mal wieder gespürt, dass eine Verständigung mit den Menschen möglich war.

Jan wusste jetzt sogar, was ihm der Magier vermutlich mit dem seltsamen Satz sagen wollte, er müsse ganz anders laufen lernen. Für einen gewöhnlichen Menschen konnte dieser Satz keinen Sinn machen. Denn jeder Mensch kann ja laufen, wenn er es erst mal als Baby gelernt hat. Und niemand lernt anders laufen als andere. Alle Menschen lernen es gleich. Alle schieben ihre Füße wie selbstverständlich voreinander und denken sich nichts dabei. Aber was der Alte gemeint hatte, war: Jan sollte sein Medium werden und ihm Schritt für Schritt folgen. Oder anders gesagt: Er sollte von nun an in seinem Bann schreiten.

Jan war stolz, ein Auserwählter zu sein. Jetzt würden die Osterferien jedenfalls nicht mehr langweilig werden. Es war doch eine gute Idee gewesen, mit auf die Insel zu fahren. Zu Hause hätte er schließlich nie einem Magier begegnen können. In den Städten hielten sich solche Zauberer nicht auf. Sie bedurften des Wassers, damit die Ströme, die sie aussandten, ungestört wandern und schließlich von ihrem Medium empfangen werden konnten. In der Stadt wurden ihre magischen Ströme von den vielen elektrischen Wellen gestört und abgeleitet. Kein Magier kam gegen Mobilfunk- und Satellitenwellen an.

Jan musste sich erst einmal wieder beruhigen. Wenn es wirklich stimmte, dass er tatsächlich ein Auserwählter war … Er konnte den Gedanken nicht zu Ende bringen. Gab es nicht genügend andere Menschen auf der Welt, und gab es nicht auch hier auf der Insel Touristen, die für einen Magier als Medium infrage kamen? Die bestimmt viel geeigneter waren als ausgerechnet Jan, der nicht einmal in der Lage gewesen war, das ausgesandte Zeichen festzuhalten?

Seit er den Alten auf seiner Bank entdeckt hatte, waren bestimmt über zwanzig oder dreißig Menschen an ihnen vorbei zum Brückenkopf gelaufen. Wieso hatte niemand von ihnen das Möwenzeichen verstanden? Niemand hatte versucht, die in Formation gelandeten Möwen aus dem magischen Bann des Alten zu lösen und wieder in Formation auffliegen zu lassen.

Wieso nicht? Und wieso hatte der Magier nach Jans missglücktem Versuch nicht einfach jemand anderen erwählt, sondern trotz des Versagens weiter auf ihn gesetzt? Wieso hatte er die Möwen nicht noch einmal zu sich gerufen und auf dem rostigen Eisengeländer landen lassen, um den Passanten aufs Neue sein Zeichen zu geben?

Jan merkte, dass er tatsächlich der Einzige war, der das Möwenzeichen verstanden hatte, egal was er daraus gemacht hatte. Er war so gefesselt davon, dass er den Gedanken minutenlang nicht loslassen konnte. Ohnehin war er ja schon seit längerem nicht mehr fähig, zuzuhören, was der Alte ihm alles erzählte. Jan war vollständig von seinen Vorstellungen gebannt. Er hatte den Magier erkannt und der Magier hatte ihn auserwählt und würde ihn zu seinem Medium machen. Zu einem Medium, das die Lehren des großen Weisen zu den Menschen bringen und sie ihnen begreiflich machen sollte, weil es die Zeichen des Magiers verstand.

Immer war Jan sonst nur mit sich allein gewesen. Seine Eltern hatten zu Hause eine Tankstelle mit angeschlossener Werkstatt und einem kleinen Gebrauchtwagenhandel. Autos waren seit jeher seines Vaters ganze Leidenschaft. Es war ein einigermaßen einträgliches Geschäft. Aber sie hatten trotzdem nur zwei Angestellte, die ihnen bei der Arbeit halfen. Alles andere machten sie selbst. Die Tankstelle war von morgens um sieben bis abends um neun geöffnet. Und die Gebrauchtwagenkunden kamen entweder morgens vor dem Dienst oder hauptsächlich nach Feierabend, manchmal auch in der Mittagspause. Jans Vater sagte oft am Ende des Tages erschöpft, aber zufrieden: »Jetzt läuft's!«

Er hatte den Betrieb, in dem er gelernt und es bis zum Kraftfahrzeugmeister gebracht hatte, vor ein paar Jahren von seinem ehemaligen Chef übernommen und erst einmal Geld in die veraltete Tankstelle investiert, um neue Kunden zu gewinnen und der Konkurrenz standzuhalten. Jetzt war die Tankstelle mit den modernsten Zapfsäulen, einer Hochdruckwaschanlage und einer völlig neuen Hebebühne ausgerüstet. Jans Mutter betreute das Rechnungswesen des Gebrauchtwagenhandels und machte die Kasse in der Tankstelle.

Jan trug den Schlüssel für die Wohnung immer bei sich. Damit er ihn nicht verlor, hing der Schlüssel an einem Lederband um seinen Hals. Mittags, wenn Jan von der Schule kam, schloss er die Haustür auf und ging in die Küche, um sich das Essen warm zu machen, das seine Mutter jeden Abend, wenn sie nach Hause kam, für den nächsten Tag vorkochte.

Jan ärgerte sich oft, dass niemand zu Hause war. Vieles, was man im Lauf des Morgens erlebt hatte, hätte man gleich mittags erzählen müssen oder nie. Es gab Geschichten, die konnten nicht bis zum Abend warten, und die meisten Geschichten verlangten Zuhörer, die bereit waren, sich auf jedes erzählte Detail einzulassen. Aber dazu waren Jans Eltern abends zu müde. Jan hatte gelernt, die meisten Geschichten für sich zu behalten.

Er hatte auch in der Schule keine richtigen Freunde. Vielleicht, weil er einer der wenigen war, die einen Computer besaßen. Von einem Computer träumte natürlich jeder. Eigentlich hätte Jan mit dem PC bei seinen Klassenkameraden hoch im Kurs stehen müssen. Aber das Problem war, dass er nie jemanden an den

Computer heranließ. Deshalb hatten die anderen ihn ausgeschlossen.

Nicht dass er seine Mitschüler ungern gelassen hätte. Es war nicht seine Schuld. Aber wenn seine Eltern zur Arbeit waren, durfte er keine Freunde mit heimbringen. Jans Eltern fürchteten, dass sie nach solchen Kindernachmittagen vor dem Computer die Wohnung in einem Chaos und den Computer demoliert und in seine Kleinteile zerlegt vorfinden würden. Auch wenn der PC das ausrangierte Gerät von Jans Vater war, musste er noch immer heilig gehalten werden. Aber Jan hätte sowieso jeden erledigt, der ihm den Computer zerstören wollte. Der PC war sein Ein und Alles. Doch seine Eltern trauten ihm nicht. Und den anderen Kindern schon gar nicht.

Also hatte Jan immer nur in der Klasse von seinen neuesten Computerspielen erzählen können. Sein Vater brachte oft von der Tankstelle Spiele mit, die dort verkauft wurden und die er abends zur Entspannung ausprobierte. Jan ließ sie dann am folgenden Nachmittag aus der Vitrine im Wohnzimmer heimlich auf sein Zimmer mitgehen. Meistens registrierte es sein Vater nicht einmal.

Aber dass Jan in der Schule von all den Computerspielen zwar erzählte, doch keinen der Klassenkameraden an ihnen teilnehmen ließ, hatten seine Mitschüler ihm nicht verziehen. Sie hielten ihn für einen ausgemachten Angeber. Einen, der nur rumprotzte und in Wirklichkeit wahrscheinlich gar keinen Computer besaß. Schon gar nicht so viele Spiele, wie er behauptete. Jan hatte auch in der Schule aufgehört, irgendetwas zu erzählen.

Jetzt endlich hatte Jan jemanden gefunden, der ihn

nicht für einen ausgemachten Angeber hielt. Der Alte war offensichtlich sogar überzeugt, dass er geeignet sei, sein Medium zu werden. Schade, dachte Jan, dass ich meinen Mitschülern nichts davon erzählen kann. Aber wie sollte er ihnen beweisen, dass er mit einem Magier in Kontakt gestanden hatte und sein Medium geworden war? Es war das Gleiche wie mit dem PC, der wirklich zu Hause stand und den er perfekt beherrschte. Aber die Begegnung mit einem Magier klang noch viel unglaubwürdiger als die Zahl der Computerspiele, die er besaß. Nie würde ihm jemand in der Schule die Geschichte mit dem Magier glauben. Aufschneidern wie ihm glaubte sowieso keiner ein Wort.

Jan wandte sich lieber wieder dem Alten zu, als an zu Hause und an die Schule zu denken. Nicht dass ihm die Schule Schwierigkeiten gemacht hätte. Seine Leistungen waren in allen Fächern einigermaßen in Ordnung. Aber seine Mitschüler waren eindeutig nicht seine Freunde.

Jan nahm seinen ganzen Mut zusammen. Er musste den Magier ansprechen, ehe auch der sich von ihm abwandte. Aber wie redete man mit einem Magier? Nur mit größter Überwindung bekam er den ersten Ton heraus.

»Ich ... ich ... ich habe ... ich meine ... die Möwen ... ich habe die Möwen ... also ... die Formation ... ich habe die Formation der Möwen ... ich habe sie gleich erkannt ... drüben ... da drüben auf dem Geländer ... vorhin ...«, sagte Jan unsicher.

Als die Augen des Alten aufblitzten und ihn forschend betrachteten, fuhr er beruhigter fort: »Sie haben Recht. Ich wollte sie wirklich eine nach der anderen auffliegen lassen. In umgekehrter Reihenfolge, verstehen Sie, genau umgekehrt, wie sie gelandet waren, wollte ich sie wieder losfliegen lassen. Ich meine spiegelbildlich, genau spiegelbildlich, verstehen Sie? Es ist aber leider missglückt. Tut mir leid. Entschuldigung. Ich habe sie bloß aufgescheucht. Einfach bloß aufgescheucht.«

Jan hätte heulen können.

»Einfach bloß aufgescheucht hab ich sie«, fuhr er mit leiserer Stimme, wie zu sich selbst sprechend, fort. »Dabei hatte ich mir alles genau überlegt. Aber ich hab mich ablenken lassen. Ich weiß nicht, vielleicht hätte es sonst geklappt, wenn ich mich nur nicht hätte ablenken lassen. Ich weiß es nicht. Bei uns zu Hause gibt es keine Möwen.«

Der Alte schien eine Weile zu überlegen, was ihm Jan eigentlich sagen wollte. Dann lächelte er wieder und fragte ganz ungerührt: »Du bist ein Feriengast auf der Insel, nicht wahr? Einer vom Festland.«

»Ja«, antwortete Jan jetzt ziemlich ruhig. »Wir sind gestern mit dem Schiff angekommen, meine Eltern und ich. Hier vorn an der Landungsbrücke.«

»Und was hast du hier vor in deinen Ferien?«

»Ich?«, fragte Jan. »Hm. Nichts Bestimmtes. Ich weiß noch nicht. Hängt davon ab ...«

Er wusste nicht, wie er es sagen sollte, dass er jeden Tag als Medium zur Verfügung stehen könnte, wenn der Alte es von ihm verlangte.

»Hast du Langeweile?«, fragte der Mann, und es schien, als wolle er prüfen, ob Jan wirklich ein geeignetes Medium für einen Magier sei.

Jan wusste, was er zu antworten hatte.

»Es geht«, sagte er. »Zeit habe ich jedenfalls genug. Ich kenn ja niemanden hier auf der Insel.«

Jan hoffte, der Magier würde sich jetzt zu erkennen geben und ihm erklären, dass er keine Freunde unter den Feriengästen zu suchen brauche. Er sei auserwählt und einem magischen Bann unterworfen.

Stattdessen hörte er den Alten sagen: »Na, warte mal ab. Es gibt viele Kinder hier in den Ferien. Du musst bloß ein bisschen Geduld haben. Jeden Tag kommen neue Gäste auf die Insel. Und die meisten mit Kindern. Da findest du bestimmt Freunde.«

»Ich find immer Freunde!«, antwortete Jan patzig. Er war selbst erstaunt über den unfreundlichen Ton in seiner Stimme. Aber er ärgerte sich wirklich über die opahafte Antwort des Alten, die überhaupt nicht zu der Würde eines Magiers passte.

»Das ist gut«, sagte der Alte ungerührt und lachte. »Lass dir Zeit.«

Jan musste unbedingt sehen, dass er sich wieder beruhigte, und noch einmal auf die Abflugformation der Möwen zu sprechen kommen. Die Möwen waren schließlich das magische Zeichen. Jan musste für alle Fälle klarmachen, dass er das Zeichen wirklich verstanden hatte.

Bestimmt stellte ihn der Magier mit seinen abschweifenden Fragen nur auf die Probe. Er wollte wahrscheinlich, nachdem die Konzentration Jan schon einmal im Stich gelassen hatte, sehen, wie beharrlich Jan wirklich war.

»Haben Sie es denn schon mal geschafft, dass die Möwen in umgekehrter Reihenfolge starten, wie sie gelandet sind? So wie ich es eigentlich vorhatte?«, fragte Jan. »Für Sie muss das doch einfach sein.«

Der Mann hörte schlagartig auf zu lachen und sah ihn mit ernsten Augen an.

Jan glaubte im ersten Moment, der Alte habe wahrscheinlich Angst, von einem Menschen als Magier erkannt zu werden. Aber wie wollte er anders mit seinem Medium reden? Durfte das Medium etwa nicht wissen, dass es im Bann des Magiers stand?

»Wieso soll das einfach für mich sein?«, fragte der Mann, nachdem er Jan eine Weile verwundert angesehen hatte. »Wie kommst du darauf?«

Jetzt starrte ihm der Alte mit seinem ernsten, eindringlichen Blick in die Augen, als verlange er dringend eine Antwort.

Jan bekam plötzlich wieder kein Wort heraus. Alles, was er sagen würde, konnte falsch sein. Wer kannte sich schon mit Magiern aus?

»Meinst du, weil ich hier auf der Insel lebe und immer bei den Möwen sein kann, hier draußen auf der Brücke?«, beharrte der Alte auf seiner Frage. »Meinst du, weil ich vielleicht ein paar ihrer Gewohnheiten kenne und weiß, wie sie auf einen Schatten reagieren, der sich lautlos über sie schiebt? Meinst du, deshalb?«

Jan zuckte hilflos die Achseln.

Endlich breitete sich wieder das gewohnte Lachen auf dem Gesicht des Alten aus. Vielleicht spürte er, dass er bei Jan sicher war. Vielleicht war ihm plötzlich klar geworden, dass das, was ihm am meisten Sorgen bereitete, nicht eintreten würde. Jeder Magier, der ein neues Medium sucht, musste wahrscheinlich bei seiner ersten Kontaktaufnahme fürchten, dass das Medium sofort anschließend mit seinem frischen Wissen hausieren ging. Aber Jan hatte dem Alten wohl das Gefühl vermittelt, verschwiegen zu sein. Deshalb konnte der Mann jetzt auch wieder lachend antworten. Doch was er sagte, verwirrte Jan erst recht.

»Nein, nein, nur vom genauen Beobachten kann ich doch noch längst keine Kunststücke vollbringen.«

Da platzte aus Jan unhaltbar die Frage heraus: »Heißt das, Sie haben die Möwen wirklich noch nie in Formation wieder auffliegen lassen?«

Er war entsetzt.

»Weder auffliegen noch landen lassen.«

»Auch nicht landen?«

Jan schluckte.

»Nein«, sagte der Alte ruhig und lächelte. »Wieso?«

»Noch nie?« Jan war verwirrter als je zuvor. »Aber ... aber die ... aber die Möwen ... die Möwen sind doch genau ... sie sind doch genau vor Ihnen ... ich meine ... auf dem Geländer vor Ihnen sind die doch alle gelandet und ... und haben Sie angesehen ... angesehen, als ob ...«

»Als ob was?«

»Als ob sie ... als ob sie auf etwas ... warteten ... etwas ... ein Kommando ... als ob sie irgendwie ...«

Jan suchte nach dem richtigen Wort. »... na ja ... ich meine ... eben als ob sie angetreten wären oder so ähnlich ... so sah es jedenfalls aus ...«

»Angetreten?« Der Alte schien sehr verwundert über das Wort. Gerade so, als ob es ihm fremd sei und er nur ungefähr seinen Sinn erfassen könne.

»Ja«, sagte Jan schnell dazwischen. Plötzlich wusste er, wie er seinen Eindruck beschreiben sollte: »Wie zum Training. Ich meine, ungefähr wie wir in der Schule zum Sport.« Er zögerte. Und weil er plötzlich unsicher wurde, ob er das Richtige gesagt hatte, fügte er schnell hinzu: »Aber vielleicht hat es ja auch nur so ausgesehen.«

Er dachte noch einmal über das Bild, das sich in seinem Kopf eingeprägt hatte, nach.

»Ich meine«, sagte er plötzlich entschlossen, »eigentlich war es mehr so, als wären die Möwen in Ihrem Bann. Als müsste erst jemand kommen und diesen Bann wieder lösen, ehe sie wegfliegen konnten.«

Der Alte sah Jan verschmitzt an, aber seine Antwort ließ auf sich warten.

Doch dann sagte er schließlich: »Denkst du etwa, ich bin ein Zirkusdompteur?«

Sein Lachen war jetzt wieder offen und ziemlich breit.

»Anfangs hab ich das wirklich gedacht. Aber es stimmt nicht. Das ist mir schon selbst klar geworden.«

»Und wofür hältst du mich jetzt?«, fragte der Alte mit einem ermunternden Lächeln.

Jan überlegte, ob er das Wort tatsächlich aussprechen durfte. Irgendwie mussten die Fragen des Alten noch immer zu der Probe gehören, auf die ihn der Magier stellte. Musste er also vielleicht das Wort um jeden Preis und auf immer für sich behalten, so wie die Männer in den Agentenfilmen, die er im Fernsehen gesehen hatte, das einmal verabredete Geheimzeichen, den Code? Oder wollte der Magier vielmehr jetzt und hier eindeutig, sozusagen wortwörtlich wissen, ob er auch wirklich erkannt worden war? Was, wenn Jan dann das Wort nicht auszusprechen wagte, von dem alles abhing?

»Sie … Sie sind … ich meine … das weiß ich doch schon lange, dass Sie ein … ein Magier sind … ein Zauberer, nicht wahr … das hab ich doch gleich gemerkt … warum fragen Sie?«

Jan wartete unsicher, was passieren würde.

»Ein Magier«, wiederholte der Alte das Wort. Sonst sagte er nichts. Jan überlegte, ob es vielleicht noch ein anderes Wort gab und der Alte prüfte, ob mit »Magier« das Gleiche gemeint war. Aber wie sollte das andere Wort heißen? »Zauberer« vielleicht. Aber das hatte Jan ja auch gesagt. Und mehr Wörter kannte er nicht. In den Büchern über Magier, die er gelesen hatte, war nie irgendein anderer Begriff aufgetaucht. Da war sich Jan absolut sicher.

Er musste unbedingt noch einmal bestätigen, was er gesagt hatte. Bestimmt diente das Warten nur wieder dazu, ihn weiter auf die Probe zu stellen und zu verunsichern. Aber Jan hielt eisern daran fest, dass er zu Recht in dem Alten einen Magier erkannt hatte.

»Ja«, setzte er eilig hinzu. »An dem Möwenzeichen habe ich Sie erkannt.«

»Du meinst, daran, wie die Möwen auf dem Geländer gehockt haben?«

Der Alte schien noch immer hin und her zu überlegen und abzuwägen.

»Ja genau«, sagte Jan. »Anfangs wusste ich nicht, dass die Möwen eine Bedeutung hatten. Da wollte ich sie einfach aufscheuchen. Nur so aus Langeweile. Das macht ja jeder. Aber dann hab ich plötzlich etwas gespürt. Etwas wie einen Zwang, dass ich die Möwen unbedingt in umgekehrter Reihenfolge, wie sie gelandet waren, auffliegen lassen musste. Es war eine richtige Herausforderung.«

»Du wolltest, dass ich auf dich aufmerksam werde?«

»Zuerst ja, bis ich gesehen hab, wie Sie lachten, obwohl ich die Formation doch zerstört hatte. Es hat lange gedauert, ehe ich verstand, dass die Möwen ein

Zeichen waren und dass das Zeichen von Ihnen ausging. Von hier, von Ihnen aus, wie Sie auf der Bank gesessen haben, die Möwen ganz fest im Blick.«

»Du meinst, dass ich dich mit den Möwen auf mich aufmerksam machen wollte?«, fragte der Alte noch immer verwundert.

»Nein«, antwortete Jan. »Noch anders. Ich wusste einfach plötzlich, dass die Möwen so etwas wie eine Verbindung zwischen uns waren.«

»Eine Verbindung?« Der Alte dachte nach. Wieder entstand eine Pause, die sich unendlich hinzuziehen schien.

Jan fühlte sich immer wackliger auf den Beinen. Er wusste wirklich nicht, warum der Magier ihm so viele bohrende Fragen stellte.

Endlich sagte der Alte: »Eine Verbindung. Hm. Na ja, vielleicht hast du Recht. Irgendwie stimmt das. Wenn die Möwen nicht da gewesen wären, hätten wir uns wohl niemals kennen gelernt. Du hast, scheint es, wirklich Recht. Es ist alles von den Möwen auf dem Geländer ausgegangen. Dagegen lässt sich nichts einwenden.«

Er lauschte einen Moment dem Klang dessen, was er gerade gesagt hatte, nach.

Dann fuhr er fort: »Jetzt reden wir immerhin schon so lange miteinander. Und der Anlass sind die Möwen. Nicht schlecht. Die Möwen sind wirklich gut, finde ich. Es ist Ewigkeiten her, dass ich mit jemandem so lange geredet habe.«

Also stimmte es jedenfalls, dass es schwer war für einen Magier, die gleiche Wellenlänge zu einem Menschen zu finden, dachte Jan.

»Mit Kindern habe ich schon besonders lange nicht

mehr geredet«, sagte der Mann. »Eigentlich nie mehr, seit ich mich hier auf der Insel befinde.«

Er lachte.

»Wer redet schon mit so einem Alten wie mir. Hat doch keiner Zeit. Die Kinder, die hier vorbeikommen, sehen mich überhaupt nicht. Sie wollen nach vorn zum Anleger, wo die großen, weißen Schiffe ankommen. Sonst wollen sie nichts. Dort ist es natürlich viel interessanter als mit so einem Alten. Die Kinder sind jedes Mal schneller verschwunden, als sie hier auftauchen, und keines hat mich gesehen. Das ist, wie es ist. Und man kann nichts dran ändern.«

Also war Jan wirklich der erste Junge gewesen, der das Möwenzeichen des Magiers erkannt hatte? Jan konnte es immer noch nicht glauben.

»Aber irgendwer muss Sie doch mal gesehen haben!«, sagte er fassungslos.

»Ach was«, antwortete der Magier mit diesem Lächeln, das Jan schon kannte. »Niemand guckt sich nach so einem Alten wie mir um. Wozu auch? Wenn ich von der Insel wäre, ja, dann vielleicht. Dann würden mich einige kennen. Aber ich bin ein Fremder für sie. Noch dazu einer, der nichts tut, als hier auf der Bank zu sitzen und die Möwen zu beobachten. Bei so einem kann man nichts kaufen. Worüber lässt sich da reden?«

Es klang ein bisschen traurig, wie er es sagte. Aber dann lachte der Alte wieder.

»Weißt du was?«, sagte er. »Du bist seit langem der Erste, der bei mir stehen geblieben ist. Es tut gut, zu reden. Es ist großartig, dass wir uns gefunden haben. Findest du nicht? Oder langweile ich dich?«

Jan schüttelte den Kopf.

»Es ist ein Zauber, wenn man mit jemandem reden kann. Ein großartiger Zauber«, sagte der Alte.

Das war der Satz, auf den Jan lange gewartet hatte. Jetzt, als er schon fast nicht mehr damit gerechnet hatte, war der Satz plötzlich da.

Also doch, dachte Jan und wusste endlich, dass alles stimmte, was er bisher nur geahnt hatte.

Ja, der Magier hatte Recht. Es war ein großartiger Zauber, mit ihm zu reden. Es war wunderbar. Es hätte immer so weitergehen können. Immer weiter.

Plötzlich hörten sie eine Stimme rufen: »Jan! Ja-an!«

Sie sahen in die Richtung, aus der die Stimme kam. Ganz weit weg, da wo die Landungsbrücke vom Hauptweg der Insel abzweigte, erkannte Jan seine Mutter.

Sie kam nicht näher. Wahrscheinlich hatte sie Jan noch gar nicht entdeckt, sondern nur überall auf dem Weg vom Hotel zur Brücke einfach in die Gegend gerufen.

»Wie spät ist es?«, fragte Jan den Alten.

Der Mann sah auf seine Armbanduhr und sagte: »Halb eins. Gerade halb eins.«

»So spät?«, antwortete Jan verblüfft. »Dann ist ja schon Mittag.«

»Stimmt«, sagte der Alte. »Beim Reden vergeht die Zeit. Ich habe auch nicht gedacht, dass es schon Mittag ist.«

»Aber wie kann das sein?«, fragte Jan ungläubig.

»Das ist eben so. Nun lauf schon, wenn das deine Mutter ist, die nach dir ruft. Es ist Essenszeit. Hast du Lust, morgen wiederzukommen?«

Jan war glücklich, dass der Alte das fragte. Ja, er würde auf jeden Fall wiederkommen. Nicht für den winzigsten Bruchteil einer Sekunde glaubte er, dass der Bann des Magiers sich wieder auflösen könnte. Er würde alles tun, um jeden Tag bei dem Magier zu sein.

»Ich könnte dir beim nächsten Mal zur Abwechslung eine Geschichte erzählen«, sagte der Alte. »Eine magische Geschichte, das verspreche ich dir. Was hältst du davon?«

Jan lachte.

»Ich könnte dir zum Beispiel von dem Mann erzählen, der versuchte, einen Eisberg aus der Antarktis durch das große Meer zu ziehen, um mit ihm am Äquator ein vertrocknetes Stück Land zu bewässern. Es ist wirklich eine magische Geschichte. Hast du Lust, sie anzuhören?«

Wieder hörten sie die Stimme »Jan! Ja-an!« rufen. Sie klang ein Stück weiter entfernt. Wahrscheinlich war Jans Mutter den Uferweg weitergegangen.

Jan konnte es immer noch nicht fassen, dass Mittag war. So schnell. Es war wirklich Magie. Zauberei.

Ja, er würde wiederkommen. Es würden schöne Ferien werden, hier draußen auf der Anlegebrücke. Er würde sich nicht mehr allein fühlen.

»Ich glaube«, sagte er zu dem Mann, ehe er wegging, um seine Mutter einzuholen, »ich glaube, ich kann den Eisberg schon sehen. Ganz da hinten am Horizont. Da.«

Er sah über die weite Fläche des Meers und zeigte mit seinem ausgestreckten Arm die Stelle an, die er meinte. »Sehen Sie ihn auch? Das Weiße dahinten? Er bewegt sich ganz langsam. Aber ich glaube, er kommt immer näher. Jedenfalls habe ich ihn vorhin noch nicht gesehen. Und jetzt kann ich sogar schon erkennen, dass sich über dem Eisberg die Möwen versammeln. Sie kreisen. Gleich werden sie auf ihm niedergehen, glaube ich. Eine nach der anderen. Glauben Sie nicht auch? Ich kann es noch nicht genau sehen. Es ist zu weit weg. Aber irgendetwas flattert über dem Berg. Da bin ich ganz sicher.«

»Wir müssen noch ein bisschen warten«, sagte der Alte. »Aber du könntest Recht haben. Bestimmt sind es die Möwen. Sieh nur. Hier kreisen gar keine mehr über dem Brückenkopf. Alle sind sie wahrscheinlich unterwegs, den Eisberg zu begrüßen.«

Jan sah zum Himmel. Keine einzige Möwe kreiste.

Da musste er lachen. Er lachte den Alten an, und der lachte, wie immer, zurück.

Jostein Gaarder

Dorf

An der Schweizer Grenze hielten wir an einer geheimnisvollen Tankstelle mit nur einer Zapfsäule. Aus einem grünen Haus kam ein Mann, der so klein war, dass er ein Zwerg oder so etwas sein musste. Vater breitete eine große Autokarte aus und erkundigte sich nach dem besten Weg durch die Alpen nach Venedig.

Der Zwerg antwortete mit piepsiger Stimme und zeigte auf eine Straße. Er konnte nur Deutsch, aber Vater übersetzte für mich: Der kleine Mann empfahl, in einem kleinen Ort namens Dorf zu übernachten.

Während er sprach, starrte er mich die ganze Zeit an, als ob er in seinem Leben noch kein Kind gesehen hätte. Ich glaube, er mochte mich, weil wir genau gleich groß waren. Als wir wieder losfahren wollten, gab er mir eine kleine Lupe in einem grünen Etui.

»Nimm die«, piepste er. (Mein Vater übersetzte.) »Ich habe sie vor langer Zeit aus einem alten Stück Glas geschliffen, das ich im Magen eines waidwunden Rehs gefunden habe. Du wirst in Dorf Verwendung dafür finden, o ja, das sage ich dir, Junge. Denn eines steht fest: Sowie ich dich gesehen habe, ging mir auf, dass du auf deiner Reise Verwendung für eine kleine Lupe haben wirst.«

Ich fragte mich, ob Dorf womöglich so klein war, dass man es nur mit einer Lupe finden konnte. Aber ich gab dem Zwerg die Hand und bedankte mich, ehe ich mich wieder ins Auto setzte. Seine Hand war nicht nur kleiner als meine, sie war auch viel kälter.

Mein Vater kurbelte das Fenster herunter und winkte dem Zwerg, der den Abschiedsgruß mit beiden Ärmchen erwiderte.

»Ihr kommt aus Arendal, nicht wahr?«, rief er, als Vater den Motor anließ.

»Richtig«, antwortete Vater und fuhr los.

»Woher hat der gewusst, dass wir aus Arendal kommen?«, fragte ich.

Vater musterte mich im Spiegel: »Hast du das nicht gesagt?«

»Nein.«

»Doch«, beharrte er. »Von mir weiß er's jedenfalls nicht.«

Aber ich wusste, dass ich es nicht gesagt hatte, und wenn, dann hätte der Zwerg es nicht verstanden, schließlich konnte ich kein Wort Deutsch.

»Warum war der wohl so klein?«, überlegte ich, als wir die Autobahn erreicht hatten.

»Das weißt du nicht?«, fragte mein Vater. »Der Bursche ist so klein, weil er ein künstlicher Mensch ist. Ein jüdischer Zauberer hat ihn vor vielen Jahrhunderten gemacht.«

Mir war natürlich klar, dass das ein Witz sein sollte, trotzdem fragte ich: »Dann war er also mehrere Jahrhunderte alt?«

»Das weißt du auch nicht?«, fragte Vater. »Künstliche Menschen altern nicht so wie wir. Das ist der einzige Vorteil, mit dem sie sich brüsten können, aber der fällt ganz schön ins Gewicht. Er bedeutet schließlich, dass sie nie sterben werden.«

Im Fahren nahm ich die Lupe und sah nach, ob mein Vater Läuse hatte. Er hatte keine, aber in seinem Nacken wuchsen einzelne hässliche Haare.

Nicht weit hinter der Schweizer Grenze sahen wir einen Wegweiser nach Dorf. Wir bogen in eine kleine Straße, die sich langsam den Berg hinaufwand. Es war eine öde Gegend, nur ein paar alte Holzvillen standen zwischen Bäumen auf den hohen Hügelkämmen verstreut.

Bald wurde es auch noch dunkel und ich wäre fast eingeschlafen. Aber im letzten Moment fuhr ich hoch, weil Vater anhielt. »Zigarettenpause«, sagte er.

Wir stiegen aus und atmeten frische Alpenluft. Es war Nacht. Über uns hing der Sternenhimmel wie eine elektrische Decke mit Tausenden von winzigen Lampen, jede zu einem tausendstel Watt. Vater ging zum Pinkeln an den Straßenrand. Als er zurückkam, zündete er sich eine Zigarette an, zeigte auf den Himmel und sagte: »Wir sind schon arge Winzlinge, mein Junge. Wir sind winzige Legofiguren, die versuchen, in einem alten Fiat von Arendal nach Athen zu gurken. Hö! Auf einer Erbse! Draußen – also außerhalb des Samenkorns, auf dem wir leben, Hans-Thomas –, da gibt es viele Milliarden von Galaxien. Jede einzelne von ihnen besteht aus einigen hundert Milliarden Sternen. Und Gott weiß, wie viele Planeten es gibt!«

Er streifte die Asche von seiner Zigarette und fuhr fort: »Ich glaube nicht, dass wir allein sind, mein Junge, nie und nimmer. Im Universum brodelt das Leben. Nur werden wir nie erfahren, ob wir allein sind. Die Galaxien sind wie einsame Inseln ohne jede Verbindung.«

Über meinen Vater ließe sich einiges sagen, aber ich habe es nie langweilig gefunden, mit ihm zu reden. Auf keinen Fall hätte er sich mit einem Leben als Maschinist zufrieden geben dürfen. Wenn es nach mir gegangen wäre, hätte er ein staatliches Gehalt als Philosoph bezogen. Er hatte selber einmal etwas Ähnliches gesagt. »Wir haben für alles Mögliche Ministerien«, sagte er, »aber es gibt kein Ministerium für Philosophie. Sogar große Länder glauben, sie kämen ohne aus.«

Erblich belastet, wie ich war, versuchte ich mich an den philosophischen Gesprächen zu beteiligen, die Vater fast immer anfing, wenn er nicht über Mama sprach. Jetzt sagte ich: »Dass das Universum groß ist, muss nicht unbedingt bedeuten, dass unser Erdball eine Erbse ist.«

Er zuckte mit den Schultern, warf den Zigarettenstummel auf den Boden und steckte sich eine neue Zigarette an. Die Meinung anderer interessierte ihn im Grunde nicht besonders, wenn er über das Leben und die Sterne sprach. Dazu war er sich seiner eigenen Meinung viel zu sicher. Statt mir zu antworten, sagte er: »Woher, zum Kranich, kommen Leute wie wir, Hans-Thomas? Hast du dir das schon mal überlegt?«

Das hatte ich schon oft, aber weil ich nun mal wusste, dass ihn meine Antwort nicht interessierte, ließ ich ihn einfach weiterreden. Wir kannten uns schon so lange, mein Vater und ich, dass ich wusste, es war so am besten.

»Weißt du, was Großmutter einmal gesagt hat? Sie sagte, sie hätte in der Bibel gelesen, dass Gott im Himmel sitzt und darüber lacht, dass die Menschen nicht an ihn glauben.«

»Warum denn?«, fragte ich. Fragen war immer einfacher als antworten.

»Okay«, fing Vater an. »Wenn es einen Gott gibt, der uns geschaffen hat, dann sind wir in seinen Augen gewissermaßen künstlich. Wir quatschen, streiten und prügeln uns. Trennen uns und sterben. Verstehst du? Wir sind verflixt clever, bauen Atombomben und Mondraketen. Aber niemand von uns fragt, woher wir kommen. Wir sind einfach hier und stellen uns auf.«

»Und dann lacht Gott einfach über uns?«

»Genau. Wenn wir einen künstlichen Menschen bauen könnten, Hans-Thomas, und wenn dieser künstliche Mensch dann einfach lossabbeln würde – über Börsenkurse oder Pferderennen –, ohne die allereinfachste und wichtigste aller Fragen zu stellen, nämlich wie er entstanden ist – ja, dann würden wir doch auch herzlich lachen.«

Genau das tat er auch, ehe er weiterredete: »Wir sollten mehr in der Bibel lesen, mein Junge. Nachdem Gott Adam und Eva erschaffen hatte, wanderte er durch den Garten und bespitzelte sie. Ehrlich. Er legte sich hinter Büschen und Bäumen auf die Lauer und beobachtete ganz genau, was sie unternahmen. Verstehst du? Er konnte den Blick nicht von ihnen abwenden, so fasziniert war er von seinen Geschöpfen. Und ich mache ihm da gar keinen Vorwurf. Nein, nein – ich verstehe ihn gut!«

Er drückte die Zigarette aus, und damit war die Pause beendet. Ich überlegte mir, dass ich trotz allem Glück hatte: Schließlich würde ich auf der Fahrt nach Griechenland an schätzungsweise dreißig bis vierzig solchen Zigarettenpausen teilnehmen dürfen.

Im Auto zog ich wieder die Lupe hervor, die mir der

geheimnisvolle Zwerg geschenkt hatte. Ich beschloss, damit die Natur einmal genauer zu untersuchen. Wenn ich mich auf den Boden legte und lange genug eine Ameise oder eine Blume anstarrte, würde ich ihr vielleicht ein paar Geheimnisse entlocken können. Und dann würde ich meinem Vater zu Weihnachten ein bisschen Seelenruhe schenken.

Wir fuhren immer höher in die Berge; es dauerte endlos lange, bis wir Dorf erreichten.

»Schläfst du, Hans-Thomas?«, fragte Vater endlich, und viel hätte tatsächlich nicht gefehlt, wenn er nicht gefragt hätte. Um nicht zu lügen, sagte ich nein, dadurch wurde ich noch ein bisschen wacher.

»Weißt du«, sagte er, »ich frage mich langsam, ob der Zwerg uns nicht geleimt hat.«

»Hat die Lupe nicht im Bauch eines Rehs gelegen?«, murmelte ich.

»Du bist müde, Hans-Thomas. Ich rede von der Straße. Warum er uns wohl in diese Einöde geschickt hat? Die Autobahn führt doch auch durch die Alpen. Vor vierzig Kilometern habe ich zuletzt ein Haus gesehen – und das letzte Hotel ist noch viel länger her.«

Ich war so müde, dass ich nicht antworten mochte. Ich dachte nur, dass ich vielleicht den Weltrekord darin hielt, meinen Vater zu lieben. Er war nicht zum einfachen Maschinisten geschaffen, nein. Er hätte lieber mit den Engeln im Himmel über die Geheimnisse des Lebens plaudern sollen. Engel sind viel klüger als Menschen; das hatte er mir auch beigebracht. Sie sind nicht so klug wie Gott, aber sie begreifen alles, was wir Menschen fassen können, ohne auch nur nachdenken zu müssen.

»Warum, zum Henker, hat er uns nach Dorf geschickt?«, fuhr Vater fort. »Du wirst sehen, am Ende hat er uns noch in ein Zwergendorf gelockt.«

Das war das Letzte, was er sagte, ehe ich einschlief. Ich träumte von einem Dorf voller Zwerge. Alle waren sehr nett. Sie redeten wild durcheinander über alles Mögliche, aber niemand konnte sagen, wo auf der Welt sie sich befanden oder wo sie herkamen.

Ich glaube, ich weiß noch, dass mein Vater mich aus dem Auto hob und ins Bett trug. In der Luft lag ein Honigduft. Und eine Frauenstimme sagte: »Ja, ja. Aber natürlich, mein Herr.«

Als ich am nächsten Morgen erwachte, begriff ich, dass wir Dorf wirklich erreicht hatten. Mein Vater lag neben mir im Bett und schlief. Es war schon nach acht, aber mir war klar, dass er noch etwas Schlaf brauchte. Egal, wie spät es wurde, gönnte er sich vor dem Einschlafen noch ein Gläschen. Nur er sprach übrigens von einem »Gläschen«. Ich wusste, dass diese Gläschen ganz schön groß sein konnten. Und ganz schön zahlreich.

Durch das Fenster sah ich einen großen See. Ich zog mich schnell an und ging hinunter ins Erdgeschoss. Dort begegnete ich einer Frau, die so dick und gemütlich war, dass sie mit mir zu sprechen versuchte, obwohl sie keine Silbe Norwegisch konnte.

»Hans-Thomas«, sagte sie mehrmals. Also hatte mein Vater mich vorgestellt, während ich schlief und er mich aufs Zimmer trug, das war klar.

Ich ging auf die Wiese vor dem See und probierte eine schwachsinnige Alpenschaukel aus. Sie war so groß, dass ich höher schaukeln konnte, als die Hausdächer waren. Beim Schaukeln betrachtete ich das kleine Alpendorf. Je höher ich kam, desto mehr sah ich von der Landschaft.

Ich freute mich auf Vaters Gesicht, wenn er Dorf am helllichten Tag sah. Er würde ausrasten. Dorf war nämlich ein Puppendorf wie aus dem Bilderbuch. Zwischen hohen, schneebedeckten Bergen lagen an zwei, drei Gassen einige wenige Läden. Wenn ich ganz hoch schaukelte, hatte ich das Gefühl, auf eines der Dörfer von Legoland zu schauen. Die Pension, in der wir logierten, war ein weißes, dreistöckiges Haus mit rosa Markisen und winzigen Fenstern aus buntem Glas.

Als ich die Schaukel schon langsam satt hatte, kam Vater aus dem Haus und rief mich zum Frühstück.

Wir betraten den vermutlich winzigsten Speisesaal der Welt. Darin hatten nur vier Tische Platz, und als wäre das noch nicht genug, waren Vater und ich die einzigen Gäste. Neben dem Speisesaal lag ein großes Restaurant, aber das war geschlossen.

Es war offensichtlich, dass Vater ein schlechtes Gewissen hatte, weil er länger geschlafen hatte als ich, also bat ich, zum Frühstück Limo trinken zu dürfen statt Alpenmilch. Er gab sofort nach, verlangte aber zum Ausgleich »ein Viertel«. Das hörte sich ziemlich geheimnisvoll an, aber was dann in sein Glas eingeschenkt wurde, erinnerte verdächtig an Rotwein. Ich begriff, dass wir erst am nächsten Morgen weiterfahren würden.

Vater erzählte, dass wir in einem Gasthaus wohnten, aber abgesehen von den Fenstern sah es auch nicht anders aus als jede normale Pension, wie ich sie von zu Hause kannte. Das Gasthaus hieß »Zum Schönen Waldemar«, und der See hieß »Waldemarsee«. Wenn ich mich nicht sehr irre, hießen beide nach ein und demselben Waldemar.

»Der *hat* uns geleimt«, sagte Vater, nachdem er einen Schluck von seinem Viertel getrunken hatte.

Ich wusste sofort, dass er den Zwerg meinte. Der hieß wohl auch Waldemar.

»Sind wir einen Umweg gefahren?«, fragte ich.

»Hast du Umweg gesagt? Von hier aus ist es genauso weit nach Venedig wie von der Tankstelle. Auf den Kilometer genau, verstehst du? Das heißt, jeder Kilometer, den wir seit der Tankstelle gefahren sind, war vollkommen überflüssig.«

»Ja, zum Kranich!«, rief ich. Weil ich so viel mit Vater zusammen war, hatte ich angefangen, seine Seemannssprache ein bisschen nachzuäffen.

»Ich habe nur noch zwei Wochen Urlaub«, fuhr er fort. »Und wir können nicht davon ausgehen, dass wir Mama finden, sobald wir einen Fuß nach Athen gesetzt haben.«

»Warum können wir nicht heute weiterfahren?«, musste ich jetzt fragen, denn mir war es mindestens genauso wichtig, Mama zu finden, wie ihm.

»Woher weißt du, dass wir heute *nicht mehr* weiterfahren?«

Die Antwort ersparte ich mir; ich zeigte einfach nur auf sein Viertel.

Und er prustete los. Er lachte so laut und schrill, dass die dicke Frau auch loslachte, obwohl sie keine Ahnung hatte, worüber wir sprachen.

»Wir waren erst so gegen ein Uhr letzte Nacht hier«, sagte er. »Und ich finde, da verdienen wir einen Tag, um uns zu erholen.«

Ich zuckte mit den Schultern. Ich war derjenige, der

keine Lust gehabt hatte, immer nur zu fahren, ohne irgendwo zu wohnen, deshalb glaubte ich nicht protestieren zu dürfen. Ich fragte mich nur, ob er sich wirklich erholen oder für den Rest des Tages picheln wollte.

Vater wühlte draußen im Auto im Gepäck. Er hatte offenbar keine Lust gehabt, auch nur eine Zahnbürste auszupacken, als wir mitten in der Nacht hier eingetrudelt waren.

Als Vater zurückkam, beschlossen wir, einen richtigen Spaziergang zu machen. Die Wirtin zeigte uns einen Berg mit Spitzenaussicht, aber um auf ihn hinauf- und wieder herunterzusteigen, sei es schon ein bisschen zu spät, meinte sie. Worauf mein Vater eine seiner klugen Ideen hatte. Denn was tut man, wenn man von einem hohen Berg herunterwill, ohne erst hochkraxeln zu müssen? Dann fragt man, ob es eine Autostraße auf den Berg gibt, eben. Die Wirtin sagte, das schon, aber wenn wir bergauf fahren und herunter zu Fuß gehen wollten, müssten wir dann doch wieder hoch, um das Auto zu holen.

»Wir nehmen ein Taxi«, beschloss Vater. Und genau das taten wir.

Die Wirtin rief uns ein Taxi, und der Taxifahrer hielt uns für verrückt, aber mein Vater wedelte mit seinen Schweizer Franken und der Taxifahrer tat, was wir von ihm verlangten.

Die Wirtin kannte sich in der Gegend besser aus als der Zwerg von der Tankstelle: So einen Berg und so eine Aussicht hatten weder ich noch Vater je erlebt, dabei kamen wir immerhin aus Norwegen.

Unvorstellbar tief unten sahen wir einen kleinen Teich vor einer mikroskopisch kleinen Ansammlung von winzigen Punkten von Häusern. Das waren Dorf und der Waldemarsee.

Obwohl es Hochsommer war, wehte uns auf dem Berg der Wind durch die Kleider. Vater meinte, wir seien viel höher über dem Meer als auf irgendeinem Berg zu Hause. Ich fand diesen Gedanken ziemlich aufregend, aber mein Vater war enttäuscht. Er gestand mir, er habe deshalb unbedingt auf diesen Berg gewollt, weil er hoffte, wir würden von hier aus das Mittelmeer sehen. Ich glaube, er hatte auch gehofft, wir könnten sehen, was Mama unten in Griechenland gerade machte.

»Als ich noch zur See gefahren bin, war ich ans genaue Gegenteil gewöhnt«, sagte er. »Ich konnte stunden- und tagelang an Deck stehen, ohne Land zu sehen.«

Ich versuchte mir das vorzustellen.

»Das war viel besser«, fuhr mein Vater fort, als hätte er meine Gedanken gelesen. »Ich fühle mich immer wie eingesperrt, wenn ich das Meer nicht sehen kann.«

Brigitte Schär

Donnerstag

Es geschah an einem Donnerstag. Es hätte an keinem anderen Tag geschehen können. Alles, was mir passiert, passiert mir an Donnerstagen. Das war schon immer so. Natürlich bin ich auch an einem Donnerstag zur Welt gekommen. An einem Donnerstagmorgen, genau genommen. Gedonnert hatte es da zwar gerade nicht, weil es Winter war. Doch ich liebe Gewitter mit Donner. Von mir aus darf es so schlimm krachen und lärmen wie es will, je schlimmer, desto lieber. Der Donnerstag, von dem ich nun erzählen werde, liegt ein paar Monate zurück. Es war ein wunderschöner Hochsommertag. Man hätte auch nackt herumspazieren können, so heiß war es. An diesem Tag also fuhr ich mit dem Rad zum Theaterkurs. Ich hatte mich etwas verspätet und musste mich sehr beeilen. Immerzu dachte ich daran, was ich wohl vergessen haben könnte, denn ich hatte ein eigenartiges Gefühl. Ich fuhr so schnell ich konnte und versuchte mich zu erinnern, was ich eingepackt hatte und was ich vielleicht einzupacken vergessen haben könnte. Die Geräteschuhe hatte ich eingesteckt. Die Hose, das Trikot. Viel mehr brauchte ich ja nicht. Viel konnte ich also nicht vergessen haben. Und trotzdem, ich fühlte es genau, etwas Wichtiges war nicht dabei.

Wegen all der Grübelei fuhr ich viel zu schnell und

darum geschah auch, was nun geschah: Ich fuhr in ein Auto rein. Und genau in diesem Moment donnerte es, ein einziger enormer Donnerknall, obwohl doch strahlendes Wetter war und keine einzige Wolke am Himmel. Und gleichzeitig erinnerte ich mich endlich, was ich zu Hause vergessen hatte: Natürlich! Die zehn Franken für das Kostüm! Zehn Franken musste ich an diesem Tag mitbringen. Weil wir doch bald Aufführung hatten. Jedes Kind musste für sein Kostüm zehn Franken bezahlen. Und ausgerechnet die hatte ich vergessen. Ohne Turnschuhe, Turnhose und Trikot ging es zur Not, doch nicht ohne das Geld.

Als ich mich vom Boden aufrappelte, tat mir noch nichts weh. Ich fühlte mich bloß ziemlich benommen. Und erschrocken. Jemand half mir vom Boden aufzustehen. Und fragte, ob alles in Ordnung sei. Ich schüttelte den Kopf.

»Ich habe die zehn Franken vergessen«, sagte ich. An das Fahrrad und an mich selbst dachte ich nicht in diesem Moment. Nur an das Geld, das zwar bereitlag zu Hause auf meinem Schreibtisch, das ich aber blöderweise einzustecken vergessen hatte, weil ich mich so beeilen musste. Und so beeilen musste ich mich, weil ich zu spät von der Schule nach Hause gekommen war, weil die ganze Klasse nachsitzen musste. Und nachsitzen musste die ganze Klasse, weil wir uns alle so blöd benommen hatten, weil doch Donnerstag war. Wir hatten immer nur gekichert.

Wie ich noch ganz benommen dastand, donnerte es zum zweiten Mal. Noch viel lauter und eindrücklicher als das erste Mal.

Irgendjemand hielt mich fest. Wie ich nun zum Himmel hinaufschaute, war der rabenschwarz. Ein unglaublich düsterer Donnerstag-Gewitterhimmel war da plötzlich über mir. Es sah auch nach Hagel aus.

Erst jetzt bemerkte ich, wer mich da überhaupt festhielt. Es war eine Frau, eine junge. Und ich sah mir das Auto an. Und mein Fahrrad sah ich am Boden liegen und meinen Sportbeutel.

Ich begann zu weinen. Und kaum weinte ich, begann es auch schon zu regnen. Zu schütten vielmehr. Ein Gewitter brach los. Mit Blitz und Donner. Und auch Hagelschlag. Ich hatte mich nicht geirrt. Ganz dicht prasselten plötzlich kleine Hagelkörner nieder. Blitze zuckten.

Und wir standen einfach da, die junge Frau und ich. Ich weinte weiter. Plötzlich tat mir alles weh. Der Rücken, die Beine, der Kopf, die Arme. Ich sah, dass das Fahrrad verbogen war, besonders das hintere Rad. Ich sah die große Beule im Auto. Das Auto war blau.

Ich weinte noch mehr.

Ich schaute ängstlich zu der Frau auf, ob sie nicht böse war, wo ich doch ihr Auto kaputtgemacht hatte. Böse schien sie zum Glück nicht zu sein, denn sie streichelte mir nun sogar übers Haar. Wir standen die ganze Zeit im Regen. Beide waren wir klatschnass.

Je länger wir dastanden, umso seltsamer kam es mir vor, dass wir einfach so im Regen standen. Nicht, dass es mir etwas ausgemacht hätte, klatschnass zu werden. Es war doch Sommer und sehr warm. Der Frau aber hätte es eigentlich etwas ausmachen müssen. Wie sie noch trocken war, hatte sie nämlich nicht ausgesehen wie eine, die gern im Regen steht. Auch wenn ich sie mir vorher gar nicht so richtig angeschaut hatte, war mir doch gleich aufgefallen, dass sie eine kunstvolle

Frisur auf dem Kopf hatte und stark geschminkt war. Sie hatte ausgesehen wie ein Filmstar.

Noch jetzt, wo ihr die Haare runterhingen und ihr Gesicht ganz verschmiert war, konnte ich mich daran erinnern, wie sie trocken ausgesehen hatte. Ja, wie eine Filmdiva. Und das Auto war auch das einer Filmdiva. Es war nicht irgendein gewöhnliches blaues Auto, sondern ein Rolls-Royce. Jedenfalls hatte das Auto einen kleinen Engel vorn auf der Haube.

Je länger es regnete, umso mehr zerfloss die Frau. In Bächen lief die schwarze Farbe an ihr runter und floss mit all dem Regenwasser auf die Straße. Das Gesicht sah ich gar nicht mehr. Ich vergaß, dass mir alles wehtat von dem Sturz. So etwas hatte ich noch nie gesehen. So viel Farbe konnte eine Frau sich doch nicht ins Gesicht schmieren. Meine Mutter schminkt sich auch. Doch nur ein kleines bisschen. »Damit ich etwas frischer aussehe«, sagt sie immer. Es gefällt mir, wie sie sich schminkt. Wenn meine Mutter weint, dann verschmiert die Farbe auch etwas. So kann ihr schon mal eine schwarze Träne die Wange runterrollen oder der Lippenstift kann verschmieren. Doch nie so wie bei der Frau jetzt. Die Frau zerfloss! Wirklich! Ich hatte plötzlich Angst um sie.

Da war ein Wirbeln in meinem Kopf. Ich dachte an die zehn Franken und ob die wohl reichten, den Schaden am Auto zu bezahlen. Und daran, dass ich, wenn ich die zehn Franken jetzt weggab, im Theaterstück nicht mitspielen konnte, weil ich dann doch kein Kostüm hatte, und wer *würde* dafür wohl meine Rolle kriegen? Ich war traurig und eifersüchtig auf das Kind, das mich ersetzen *würde*. Aber die haben doch alle schon ihre Rolle, fiel mir ein. So oder so, ohne die zehn

Franken werde ich nicht Schauspielerin, dachte ich. Aus, vorbei. Dabei wollte ich doch so gern Schauspielerin werden. Ich hätte mir nichts anderes vorstellen können. Immer schon wollte ich Schauspielerin werden.

Und all das jetzt nur wegen zehn Franken. Und selbst wenn ich die zehn Franken für den Schaden nicht hergeben muss, so werde ich doch keine Schauspielerin, weil ich kein Fahrrad mehr habe, um zum Theaterkurs zu fahren. All diesen Blödsinn dachte ich, während ich der Frau zuschaute, wie sie langsam zerfloss.

Dabei hätte ich sie doch unbedingt fragen wollen, wie es ist, eine Filmdiva zu sein, jetzt, wo ich schon mal einer richtigen begegnete. Ich hätte sie fragen wollen, wie man Filmstar wird und ob es nicht auch ohne die zehn Franken ging.

Immer weiter hielt mich die Frau fest. Mir wurde es langsam peinlich. Schließlich kannten wir uns nicht so gut. Nicht mal von meiner Mutter lass ich mich so lange im Arm halten. Außerdem fürchtete ich mich vor der vielen Farbe. Ich hatte plötzlich das Gefühl, dass ich das, was ich davon abbekam, nie mehr runterkriegen würde. Ich stieß mich von der Frau weg. Ich weiß, es war sehr unhöflich, wo die Frau doch so nett zu mir war und kein bisschen böse wegen dem Auto. Trotzdem musste ich es tun. Ich hätte die Umklammerung nicht mehr länger ertragen können.

Gerade noch rechtzeitig! Denn unterdessen war die Frau ganz schwarz geworden. Das erstaunte mich sehr. Ich hatte eher das Gegenteil erwartet, dass nämlich die Frau weiß würde, weil doch die ganze Farbe abgewaschen wurde. Seltsam sah die Frau jetzt aus, ohne alles. Unheimlich. Und ein bisschen lächerlich.

Auch das Auto hatte im Gewitterregen gelitten. Und daran war bestimmt nicht ich schuld. Dem war auch die ganze Farbe runtergelaufen. Das war kein Rolls-Royce mehr. Das war nur noch ein uraltes, schwarzes, langes Auto. Wie von selbst ging plötzlich eine Tür auf und die Frau stieg ein.

»Achtung, die Flügel«, schrie ich. Fast hätte die Frau sie sich eingeklemmt, als die Tür sich wieder schloss.

Wo kommen denn plötzlich die Flügel her?, dachte ich verdutzt. Ich hätte die Frau gern gefragt. Da fuhr das Auto auch schon los. Danach weiß ich nichts mehr.

Aufgewacht bin ich erst im Krankenhaus, mit eingebundenem Kopf und eingegipstem Bein. Alles tat mir weh. Im Krankenhaus war ich vorher noch nie. Nur wie ich geboren wurde, zusammen mit meiner Mutter. Doch daran erinnere ich mich natürlich nicht.

Ich hatte außerdem viele Prellungen und Quetschungen und eine starke Gehirnerschütterung und musste schön still liegen. Das rechte Bein war gebrochen. Ein komplizierter Bruch. Sie hatten es aufgeschnitten und wieder zusammengeflickt. Irgendwann müssen noch die Schrauben raus.

Ich bin übrigens nicht in ein Auto gefahren. Ich bin ganz allein mit meinem Fahrrad gestürzt. Weil ich den Kopf woanders hatte, wegen diesen blöden zehn Franken. Und wegen all der Eile.

Natürlich konnte ich in diesem Theaterstück nicht mitspielen. Und natürlich hat ein anderes Kind meine Rolle bekommen. In diesem Zustand hatte ich auch überhaupt keine Lust zu spielen. Eifersüchtig war ich auf das andere Kind nicht.

Die kamen mich alle besuchen. Wirklich alle. Jeden

Tag kamen viele. Meine Familie, Nachbarn, meine Freunde, die ganze Klasse. Und der Theaterkurs.

Natürlich werde ich Schauspielerin. Ein Fahrrad kriege ich auch wieder. Zehn Franken habe ich dafür selbst schon gespart, nämlich die, die eigentlich fürs Kostüm gedacht waren. Die hatte ich an jenem Donnerstag gar nicht zu Hause vergessen. Die hatte ich ohne es zu merken doch in den Beutel gesteckt.

Endlich durfte ich wieder nach Hause gehen. An einem Donnerstag, ohne Gips und auch sonst ganz geheilt.

Annika Holm

Die Hexe im Blaubeerwald

Tante Ellen hat mich mein Leben lang begleitet. Jedes Mal, wenn meine Kinder – und heute sind es meine Enkelkinder – mit Freunden in Streit geraten, taucht Tante Ellen auf.

Ich bin schon drauf und dran, die wilden Gören anzubrüllen: »Hört auf!« Ich bin drauf und dran aufzudecken, wer schuld ist und wie der Streit angefangen hat, ich bin drauf und dran, das Kind auszuschimpfen, das den meisten Krach macht.

Aber ich tue es nicht. Ich bin wieder ein kleines Kind geworden und die Erwachsene, die eben noch dort stand, ist Tante Ellen.

Ich habe Angst vor ihr und ich hasse sie. Und ich hasse meinen Papa, der ihr mehr glaubt als seinen eigenen Kindern. Und ich hasse Mama, die mich dazu zwingt, so zu tun als ob.

Dabei hat es so gut angefangen.

Es fing damit an, dass die Königin und wir, meine Schwester und ich, nichts Böses ahnten.

Noch nie hatten wir etwas so Schönes gesehen.

»Eine Prinzessin!«, flüsterte meine Schwester.

»Oder eine Königin«, hauchte ich.

Ihre Haare waren schwarz und rollten sich in Höhe der Schultern elegant nach innen. Ihr Rock war eng, die Absätze waren hoch. Rote Lippen, weiße Zähne, die blauesten Augen, die wir je gesehen hatten.

»Wie Veilchen«, flüsterte meine Schwester.

»Oder wie der See«, hauchte ich.

Ich war gerade mit dem Kopf voran in den See gesprungen. Meine Schwester war hinterhergesprungen, und als wir wieder auf den Steg kletterten, sahen wir die Prinzessin.

Oder Königin.

Da ich die Ältere war, fast zwei Jahre älter als meine Schwester, ist es klar, dass ich Recht habe. Es war keine Prinzessin, die auf der Brücke stand. Denn hinter ihr standen zwei Kinder, kleiner als wir. Die redeten sie mit Mama an.

»Siehst du«, sagte ich. »Sie ist eine Königin. Prinzessinnen haben keine Kinder.«

Obwohl wir klatschnass waren, umarmte sie uns. Die wildfremde Königin umarmte uns und lächelte mit ihren roten Lippen.

»Willkommen«, sagte sie. »Willkommen hier oben.«

Sie setzte sich auf den Steg, plätscherte mit langen eleganten Zehen in dem blauen Wasser und erzählte uns, dass sie eine Woche lang unsere Mama sein würde.

Das wussten wir schon. Natürlich wussten wir nicht, dass ausgerechnet sie es sein würde. Aber wir wussten, dass Mama und Papa mit unserem kleinen Bruder verreisen würden. Eine Tante Ellen würde sich um uns kümmern.

»Setzt euch«, sagte sie und zeigte mit der linken Hand, wohin wir uns setzen sollten. Rechts von ihr saßen schon die zwei kleinen Kinder.

Meine Schwester, kleiner und hübscher als ich, setzte sich dicht neben Tante Ellen, fast auf ihren Schoß. Aber nur einen kurzen Augenblick, nicht mal eine Minute durfte sie dort sitzen.

»Weg!«, schrie das kleinste Kind und schubste meine Schwester.

Tante Ellen lächelte und hob das Kind auf ihren Schoß, dorthin, wo meine Schwester eben gesessen hatte, und lächelte noch mehr.

»Wir werden viel Spaß haben!«, sagte sie. »Tora und Isak freuen sich so, dass sie neue Freunde bekommen.«

Anzusehen war ihnen das nicht. Das Mädchen, das Tora hieß, und der Junge, der Isak hieß, sahen uns böse an.

Aber was wussten wir denn schon? Wir waren erst kürzlich hierhergezogen. Vor einigen Tagen waren wir mit dem Zug mehrere Meilen nordwärts gefahren. Wir wussten nichts darüber, wie sich die Kinder in diesem Teil des Landes benahmen. Isak und Tora sahen böse aus, fanden wir. Aber vielleicht konnte man trotzdem fröhlich sein, auch wenn man böse aussah? In diesem Teil des Landes?

»Jetzt gehen wir hinauf und winken Mama und Papa zum Abschied«, sagte Tante Ellen. »Sie fahren gleich ab. Und dann zeigen wir euch, wo ihr schlafen werdet.«

»Hoffentlich sind sie nicht traurig, dass wir nicht geweint haben?«, flüsterte meine Schwester abends, als wir in unseren Betten in einem kleinen Zimmer oben unter dem Dach in dem roten Holzhaus lagen.

Weder sie noch ich hatten geweint, als Mama und Papa abgefahren waren. Wir hatten nicht mal Lust gehabt zu weinen.

Meine Schwester hatte Recht. Wir hätten wenigstens so tun sollen als ob. Wenn Eltern eine ganze Woche verreisen und ihre Kinder an einem vollkommen fremden Ort lassen, müssen die Kinder weinen.

»Ach was«, flüsterte ich zurück. »Daran haben sie überhaupt nicht gedacht. Sie hatten so viel anderes zu bedenken.«

Unsere Eltern waren zurückgefahren in die Stadt, in der wir früher gewohnt hatten. Sie wollten allen Müll wegwerfen und die Wohnung aufräumen, in der wir gelebt hatten. Wenn sie wiederkamen, wollten sie alle Umzugskisten auspacken, die in einer ganz neuen Wohnung bis zur Decke gestapelt waren. Sie hatten bestimmt so viel zu tun, dass sie sich gar nicht darum kümmern konnten, ob ihre Töchter weinten oder nicht.

»Sie ist die Schönste, die ich jemals im Leben gesehen habe, auf der ganzen Welt, im ganzen Universum«, flüsterte meine Schwester.

»Und die Allerliebste«, murmelte ich und schlief mitten in der Erinnerung an die sanfte Hand der Königin auf meiner Backe ein.

Die Hand hat so gut gerochen.

Am dritten Tag verschwand die Königin.

Es regnete so sehr, dass wir nicht hinausgehen konnten. Meine Schwester und ich saßen in der Küche und spielten Karten. Isak sagte, er wolle auch mitspielen. Aber er konnte noch keine Zahlen. Er legte irgendeine Karte auf irgendeine andere. Als wir sagten, dass er es falsch machte, hörte er uns nicht zu.

»Ich kann das wohl«, sagte er, obwohl er es nicht konnte.

»Jetzt wollen wir allein spielen«, sagte meine Schwester.

Da sagte Isak, wir seien blöd.

»Du bist blöd«, sagte ich und nahm ihm die Karten weg. In dem Augenblick verschwand die Königin. An ihrer Stelle in der Küche stand eine ganz normale Tante, die böse aussah, und ihre Stimme klang auch böse.

»Natürlich darf Isak mitspielen«, brüllte sie. »So ein Verhalten dulde ich nicht.«

»Er kann es aber doch nicht«, fing ich an, aber meine Schwester trat mich so heftig unter dem Tisch, dass ich nicht weiterredete.

»Ist ja schon gut«, sagte die Tante, die eine Königin gewesen war. »Setz dich wieder hin, Isak, dann kriegst du deine Karten zurück.«

Nach einer Weile gaben wir auf. Man kann nicht mit jemandem Karten spielen, der alles durcheinander bringt und noch nicht mal zählen kann.

»Wir gehen nach oben lesen«, sagten wir und standen auf.

Es waren noch keine fünf Minuten vergangen, da kam Tora zu uns herauf.

»Ich will auch lesen«, sagte sie.

»Klar«, sagten wir, jede über ihrem Buch.

Tora kletterte aufs Bett, nahm das Buch meiner Schwester und legte sich aufs Kissen.

»Aber du kannst doch gar nicht lesen«, sagte meine Schwester.

»Klar kann ich lesen«, sagte Tora.

Sie blätterte eine Seite nach der anderen um und sah sehr zufrieden aus.

Eine Weile saß meine Schwester still da, dann nahm

sie sich ein anderes Buch und begann darin zu lesen. Tora guckte auf, warf ihr Buch auf den Fußboden und nahm meiner Schwester das Buch weg.

»Das lesen«, sagte sie. Aber sie las nicht darin, sondern riss eine Seite heraus und knüllte sie zusammen.

»Hör auf!«, schrie ich. »Das ist mein Buch.«

»Mein Buch«, sagte Tora und riss ein weiteres Blatt heraus.

Da fing ich an zu weinen. Das Buch hieß ›Anne auf Avonlea‹ und ich hatte es gerade von Papa bekommen. Nach zwei Kapiteln wusste ich, dass es das beste Buch war, das ich je gelesen hatte.

Tora lachte nur und riss weiter Blätter heraus.

Meine Schwester versuchte das Buch zu retten, aber Tora war stark und ließ nicht los.

Ich schlug ein wenig auf ihre Arme, damit sie das Buch losließ. In dem Augenblick wurde die Tür geöffnet und die Hexe kam herein.

»Was macht ihr da!«, schrie sie. »Schlagt ihr jemanden, der kleiner ist als ihr?«

Sie riss Tora an sich und küsste sie ab und streichelte sie, während sie uns ausschimpfte.

»Ich hätte nicht gedacht, dass ihr so böse seid«, sagte sie zwischen den Küssen. »Jetzt bleibt ihr bis heute Abend hier oben.«

Sie schloss die Tür hinter sich und Tora. Und drehte den Schlüssel um.

Am nächsten Tag war die Königin wieder da. Die Sonne schien und wir badeten im blauen Wasser des Sees. Die Königin kraulte quer über den See und war nicht mal müde, als sie zurückkam. Mit dem tropfnassen Haar sah sie womöglich noch hübscher aus.

Tora und Isak waren auf einem Kinderfest. Stunde um Stunde lagen wir drei auf dem Steg in der Sonne. Als wir fragten, ob wir uns Saft und Wecken holen dürften, hob die Königin ihren schönen Kopf, lächelte und sagte:

»Nehmt, so viel ihr wollt.«

Am nächsten Morgen sagte sie, wir sollten Blaubeeren pflücken. Sie gab uns einen Eimer und jedem einen kleinen Becher. Tora und Isak bekamen die gleichen Becher, die Königin selbst trug einen großen Eimer und eine Tüte mit Butterbroten und Milch.

»Wenn die beiden Eimer halb voll sind, machen wir ein Picknick«, sagte sie, während wir über die Wiese in den Wald gingen. Am Himmel war nicht eine Wolke, nur eine große, goldene Sonne. Weder Tannen noch Kiefern standen so dicht beieinander, dass sie Schatten warfen. Die Blaubeeren wuchsen in der brennenden Sonne. Trotzdem waren sie schwer zu erkennen. Große, fette Mücken umsummten uns und die Blaubeeren. Damit sie uns nicht stachen, mussten wir mit den Armen wedeln und die Augen möglichst geschlossen halten.

Aber die Mücken waren listiger und schneller als wir. Es juckte an mehreren Stellen.

»Ich will nicht hier bleiben«, sagte meine Schwester. Sie hatte Glück, nur ich hörte, was sie sagte. Ich hatte nicht so ein großes Glück, als ich zum siebten Mal gestochen wurde.

»Ich hasse Mücken! Ich hasse Blaubeeren!«, schrie ich, warf meinen kleinen Becher weg und kratzte den Stich, dass Blut herauskam.

Die Königin, die ein Stück entfernt Beeren pflückte, hörte, was ich sagte, und richtete sich auf.

»Hör sofort auf mit den Dummheiten! Pflück weiter!«

»Aber es blutet doch!«, schrie ich und spürte, wie meine Augen heiß wurden. Als ich das Heiße wegblinzeln wollte, hab ich wohl auch die Königin weggeblinzelt. Denn jetzt stand die Hexe dicht neben mir.

»Du hast selber Schuld, dummes Ding!«, brüllte sie. »Hör auf zu kratzen, dann blutet es auch nicht mehr.«

»Ich kann nicht aufhören«, weinte oder schrie ich, »es juckt überall«.

Da nahm sie mich am Arm, drückte mich hinunter und schlug mir mit der freien rechten Hand zweimal auf den Po.

Ich war so überrascht, dass ich zu weinen aufhörte. Sie ließ mich los und sagte, ich solle sofort weiter Beeren pflücken.

»So benimmt man sich nicht bei uns«, sagte sie. »Jetzt mach weiter!«

Am Tag, bevor unsere Eltern zurückkommen sollten, wurde meine Schwester böse auf Isak. Wir saßen auf der Treppe und verlasen Blaubeeren. Dazu hatten wir den strengen Befehl bekommen: »Ihr dürft keine Beeren essen!«

Das war nicht schlimm, denn inzwischen hatten wir die Blaubeeren satt. Wir hassten Blaubeeren. Zwei Tage hatten wir uns zwischen den Mücken im Wald aufgehalten. Jetzt stand ein riesiger Eimer vor uns, ein Eimer, der leider fast genauso viele Blätter und Zweige wie Blaubeeren enthielt. Blätter und Zweige sollten auf einen Haufen geworfen, die Beeren in eine Schüssel gelegt werden.

Das war todlangweilig.

Isak fand das auch. Er fing an, mit Beeren um sich zu schmeißen, statt sie in die Schüssel zu werfen.

»Hör auf!«, zischte meine Schwester.

»Haha«, sagte Isak und schmierte ihr eine Hand voll Beeren um den Mund.

»Bist du verrückt!«, schrie meine Schwester. Sie stand so schnell auf, dass die Schüssel umkippte, und jagte hinter Isak her.

»Mama! Hilfe! Sie haut mich!«, schrie Isak.

An diesem Tag musste meine Schwester sich vorbeugen. Sie bekam drei Schläge auf ihren Po und wurde zwei Stunden im Zimmer unterm Dach eingeschlossen.

Am Abend zog sich meine Schwester die Decke über den Kopf und gab keine Antwort, als sich jemand über sie beugte und sagte:

»Jetzt sind wir wieder Freunde, nicht wahr?«

Da stand die Königin, nicht die böse Tante. Aber das sah nur ich, weil ich die Decke nicht über den Kopf gezogen hatte. Meine Schwester sagte nichts und die Königin schimpfte nicht mehr mit ihr.

»Ich bin jedenfalls deine Freundin«, sagte sie und streichelte die Decke. Mir streichelte sie über den Kopf und sagte gute Nacht und ich traute mich nicht, etwas anderes als »Gute Nacht!« zu antworten.

Als sie auf der Treppe verschwunden war, kam meine Schwester wieder hervor.

»Ich hasse sie!«, sagte sie.

»Ich auch!«, sagte ich. »Aber morgen ist es vorbei.«

»Das werd ich Mama und Papa erzählen«, sagte meine Schwester.

»Aber sie werden uns nicht glauben«, sagte ich und dachte an Papas Blick, mit dem er die schöne Königin betrachtet hatte.

»Ich hab einen Plan!«, sagte meine Schwester. »Komm her, ich darf nur flüstern!«

Mama und Papa sollten mit dem Morgenzug kommen. Wir schlichen uns vor dem Frühstück in den Wald und rafften jeder eine Hand voll überreifer Blaubeeren zusammen.

Meine Schwester zog ihre Hose herunter und beugte sich vor. Ich zerquetschte die Blaubeeren auf ihrem braun gebrannten Po. Der wurde rot, blutrot. Mit mir machte sie es genauso.

Wir überprüften unsere Popos.

»Die Haut muss weg«, sagte ich, »sonst sieht es nicht richtig aus.«

Wir kratzten und rieben, bis es schließlich ganz gut aussah. Dann zogen wir die Hosen hoch und liefen zurück. Als das Taxi mit Mama und Papa auf dem Hof vorfuhr, hatten wir es gerade geschafft, unsere Hände zu waschen. Natürlich sagten wir nichts, solange wir noch dort waren. Wir sagten auch nichts, als Tante Ellen Mama und Papa erzählte, wie lieb und nett wir gewesen waren. Und auch nichts, als Isak sagte, wir seien die blödesten Mädchen, die er je gesehen habe. Als Tante Ellen uns lächelnd umarmte und sagte, wir seien jederzeit willkommen, waren wir mucksmäuschenstill.

Papa guckte Tante Ellen erstaunt und bewundernd an.

»Was hast du mit unseren beiden Wildfängen gemacht? Hast du ihnen etwa Benehmen beigebracht?«

Die Erwachsenen lachten laut, aber wir setzten uns ins Taxi und winkten Tante Ellen nicht zu, als sie winkte.

»Was ist denn mit euch los?«, fragte Mama besorgt, während das Taxi vom Hof fuhr. Wir antworteten nicht.

Aber als wir in der Wohnung mit den Umzugskisten ankamen, zeigten wir unsere blutigen Popos.

Mama und Papa guckten und guckten. Mama strich über unser Blut und betrachtete ihre Hand.

»Sie hat uns geschlagen!«, sagten wir. »Jeden Tag.«

»Mit Blaubeeren?«, fragte Mama.

Von Papa war nur ein schnaubender Laut zu hören, ehe er in einen anderen Teil der Wohnung verschwand.

Wir erzählten alles, was passiert war. Wir erfanden nichts dazu. Meine Schwester weinte die ganze Zeit, ich aber nicht. Jetzt war es ja vorbei, Mama und Papa waren wieder da, uns würde nichts Böses mehr widerfahren. Wir würden getröstet und umarmt werden, und Mama und Papa würden uns bemitleiden. Es gab keinen Grund zum Weinen.

Aber Mama tröstete uns nicht. Sie wurde böse. Als Papa wiederkam, war er auch böse.

»So was gehört sich nicht«, sagte Mama. »Man darf nicht lügen.«

»Das ist ungerecht gegen die nette Tante Ellen«, sagte Papa.

»Aber ...!«, sagten wir.

»Sie hat sich eine ganze Woche um euch gekümmert«, sagte Mama.

»Aber ...!«, sagten wir.

»Sie hat uns einen großen Dienst erwiesen!«, sagte Papa.

»Und sie hat doch selbst gesagt, dass alles gut gegangen ist«, sagte Mama.

»Aber ...!«, sagten wir.

Mama schrubbte so lange, bis wir sauber waren, ziemlich fest. Sie zwang uns, einen Brief an Tante Ellen zu schreiben und zu zeichnen.

Vielen Dank für eine schöne Woche, schrieb ich in Schönschrift. Meine Schwester malte ein rotes Haus mit einem Fahnenmast.

Und wir hassten Tante Ellen.

Aber das erzählten wir niemandem.

Rafik Schami

Kebab ist Kultur

Etwa fünfhundert Meter von unserem Haus entfernt, dort wo unsere Gasse in die belebte Verkehrsstraße mündete, lag der Laden des Metzgers Mahmud. Sollte er je erfahren, dass ich ihn »Metzger« genannt habe, würde er wütend auf alle Heiligen schimpfen, die einen niederträchtigen Dummkopf, der ihn so herabsetzt, nicht gründlich bestrafen. Die anderen Metzger in unserer Gegend begnügen sich mit dieser nüchternen Berufsbezeichnung, nicht aber Mahmud.

Ein kleiner Schuppen diente ihm als Laden, aber es ist nicht übertrieben, wenn man ihn als den schönsten Laden von Damaskus bezeichnet. Über dem Eingang hing ein buntes Schild mit Mahmuds Namen und dem deutlichen Hinweis auf seinen einzigartigen Kebab. In dem länglichen Raum waren entlang der rechten Wand zwei Tische mit sechs Stühlen aufgestellt; gegenüber stand die lange Fleischerbank. Dazwischen war gerade genug Platz für einen schmalen Gang. Über Mahmuds Arbeitsplatz waren mehrere Regale aufgehängt, auf denen Gläser mit sauer eingelegten Gurken und Gemüsen, Gewürzgläser und Teller, Gläser und Tonkannen aufgestellt waren. Am Ende des schmalen Gangs stand ein prachtvoll geschmückter Kühlschrank. Seine Tür war über und über mit Blumen- und Palmenbildern beklebt. Ein Spruch in geschwungener Schrift gegen neidische Blicke war die Krönung dieses Schmucks: Des Neiders Auge soll erblinden! Der Kühlschrank war ein alter Kasten, der noch mit Eisblöcken gekühlt wurde, aber er war Mahmuds ganzer Stolz.

»Bei mir wird das Fleisch natürlich gekühlt! Diese neumodischen elektrischen Kühler zerfetzen das Fleisch, da kann man gleich gekochte Gurken fressen. Sie schmecken genauso, nämlich nach gar nichts«, pflegte er Kunden entgegenzuschmettern, die die Unverfrorenheit hatten, ihm von den neuen Tiefkühltruhen seiner Konkurrenten vorzuschwärmen.

Links neben der Eingangstür hing das frische Hammelfleisch und unmittelbar daneben stand das stolze Stück, das Mahmud so erhaben über alle anderen Metzger machte, sein Grill. »Ich bin ein Kebab-Künstler«, brüstete er sich, wenn ein Spaßvogel ihn aufziehen wollte und ihn nach seinem Beruf fragte. Wer fragt denn schon einen Bäcker mitten in seiner Bäckerei nach seinem Beruf!

»Ich bin der einzige Kebab-Künstler, der seinen Kebab frisch und vor den Augen der Kunden vorbereitet. Die anderen nehmen irgendwelche Reste und überwürzen sie nur noch kräftig. Und so etwas servieren sie als Kebab! Das ist kein Kebab, das ist eine Beleidigung!«

Mahmud konnte stundenlang über seine Spezialität reden. Auch wenn die Nachbarschaft nicht oft bei ihm einkaufte, lobte sie seinen Kebab, dessen Rezept er niemandem verriet. Dafür verlangte er aber eine Lira mehr als die anderen Metzger. Er tadelte seine Nachbarn, die das Fleisch oft bei seinen Konkurrenten holten, »die mit ihren gottverdammten Maschinen die Seele des Fleisches zermalmen.« Mahmud hielt nichts vom elektrischen Fleischwolf, aber die Nachbarn sparten lieber einige Piaster und pfiffen dafür auf die Seele des Fleisches. Nur wenn sie vornehme Besucher hatten, kauften sie den begehrten Kebab von Mahmud. Die Zubereitung glich einer Zeremonie, einem Zauber eher als dem bloßen Hacken von Fleisch. Er entfernte jede Sehne, jedes Stückchen Haut, zeigte das Fleisch dem Kunden, der ehrfürchtig »sehr schön« ausrufen musste, dann zerhackte er es, rollte es zusammen und stellte es zur Seite.

»Es muss sich etwas ausruhen«, sagte er bedeutungsvoll und fing an, Zwiebeln, Knoblauch und Petersilie zu hacken. Er mischte sie mit dem Fleisch, gab etwas Pfeffer und Salz dazu und holte aus einem Schrank unter der Fleischerbank eine schwarze Dose hervor, nahm daraus zwei Fingerspitzen einer rötlichen Mischung, streute sie über das Fleisch und murmelte leise vor sich hin, als würde er eine Zauberformel für den Kebab sprechen. Woraus die Mischung in der Dose bestand, wusste niemand zu sagen. Manche vermuteten, dass er mit etwas Paprika einen Zauber vorschwindelte, andere wollten von ihm erfahren haben, dass die Dose eine geheimnisvolle Mischung aus Indien beinhalte, aber alle mussten zugeben, dass der Kebab bei Mahmud am besten schmeckte. Er höhnte über die anderen Fleischer, die, wenn es um ihre Mägen ging, bei ihm den Kebab kauften. Das war nicht übertrieben, oft genug habe ich den einen oder anderen Metzger bei ihm im Laden gesehen.

Mein Vater lobte ihn oft, er sei der beste Metzger der Welt, aber auch er kaufte das billigere Fleisch bei den anderen, es sei denn, wir bekamen Besuch, dann mahnte er meine Mutter, nicht auf die Lira, sondern auf die Anerkennung der Gäste zu achten.

Am späten Nachmittag schlossen die Metzger ihre Läden, aber nicht Mahmud. Er trank einen Schnaps nach dem anderen, polierte die Gläser und stellte sie auf die blanken Regale, spritzte Wasser vor den Laden, setzte sich auf einen Holzschemel und beobachtete die Passanten. Er war über fünfzig und Junggeselle, und immer wenn eine Frau oder ein junges Mädchen vorbeikam, lallte er ihnen Schmeicheleien zu, und sie kicherten über ihn und neckten ihn auch manchmal. Nur sein Nachbar, der Friseur Bulos, ärgerte sich immer über ihn, denn er war ein strenger Katholik, der nichts Flüssiges außer Leitungswasser zu sich nahm.

»Du bist doch kein Christ, wenn du keinen Wein trinkst. Euer Jesus ist ein prachtvoller Kerl. Hat er nicht gesagt, dass Wein des Menschen Herz erfrischt?« Das hat zwar David und nicht Jesus gesagt, aber es war die einzige Stelle in der Bibel, die Mahmud kannte, und er rieb sie seinem katholischen Nachbarn immer wieder unter die Nase. Ansonsten störte Mahmud keine Menschenseele, denn er war äußerst gutmütig.

Eines Tages kam es, wie es kommen musste. Es war ein sonniger Mittag. Ich sollte Fleisch bei Mahmud holen, da meine Tante mit ihrem reichen Mann uns besuchen wollte. Sie war sehr hochnäsig und hatte nach einem Jahr Ehe ihre ärmliche Herkunft völlig vergessen. Meine Eltern genierten sich wegen unserer Armut und schienen der Tante immer beweisen zu wollen, wie gut es uns ging. Davon hatten jedoch die Tante und ihr schwachsinniger, gefräßiger Mann keine Ahnung. Sie bekamen an einem Tag so viel Fleisch vorgesetzt wie wir sonst in einer Woche nicht.

An jenem Tag also sollte ich ein ganzes Kilo Hammelbrust holen. Murrend schlenderte ich zu Mahmuds

Laden. Schon von weitem sah ich ihn mit einigen auffällig gekleideten Touristen vor seinem Laden stehen. Die drei Männer sahen aus wie Schießbudenfiguren, so grellbunt waren sie angezogen. Jeder hatte eine Kamera um den Hals hängen, einer kaute auf einer dicken Zigarre herum, wie man es in irgendwelchen amerikanischen Gangsterfilmen sehen konnte, und die anderen beiden reizten mit ihren kurzen Bermudahosen jeden Vorübergehenden zum Lachen. Die Frau sah aus, als wäre sie in einen Farbtopf gefallen, so bunt bemalt war sie im Gesicht, und um den Hals hatte sie eine Brille mit länglichen Gläsern hängen, die an der Seite und auf den Bügeln mit Strass besetzt war. In ihren Stöckelschuhen konnte sie kaum laufen und zog mit ihrem engen Rock die Blicke sämtlicher Männer auf sich.

Die Touristen fotografierten Mahmud, der an seine Ladentür gelehnt stand und breit lächelte. Dann winkte ihm einer der Männer, dass er sich zwischen die beiden anderen stellen sollte. Sie lachten, und die Frau knipste einige Male, als ich gerade den Laden erreichte. Sie schrie immer wieder »Oh, how wonderful, just wonderful« und zog das »Oh« so in die Länge, dass es sich anhörte, als würde jemand auf sie einhauen. Mahmud zupfte verlegen an seinem sauberen weißen Kittel. Nicht stolz, wie ich vermutet hatte, sondern unsicher schaute er auf die beiden Nachbarn, die in den Türen ihrer kleinen Geschäfte standen und sich über ihn lustig machten. Ich hörte den Friseur lästern: »Sie brauchen wohl sein Foto, um ihre Kinder zu erschrecken!«

Als der hagere, kleine Tourist die Frau wieder ablöste, wurde es Mahmud zu viel, er flüchtete in seinen Laden. Die Touristen lachten über den scheuen Mann und folgten ihm. Als ich gerade die Bestellung meiner

Mutter aussprechen wollte, erklärte einer der Touristen Mahmud, dass sie vier Portionen Kebab wollten. Er verlor jede Scheu und rief laut: »Vier Portionen Kebab!«, als wollte er auch noch den Leuten der übernächsten Straße seine Freude mitteilen. Ich ärgerte mich, dass Mahmud mich einfach übergangen hatte, und rief noch einmal laut meine Bestellung. Da knurrte er mich an: »Du siehst doch, ich habe Kunden aus dem Ausland! Sie werden überall berichten, dass Mahmud der beste Kebab-Künstler der Welt ist!«

Ich hätte am liebsten das Fleisch bei jemand anderem gekauft, aber meine Mutter hatte einen guten Blick dafür, sie hätte das sofort erkannt. So verfluchte ich meine Tante, derentwegen ich diese lästige Aufgabe aufgebrummt bekommen hatte, und wartete.

Mahmud gab sich besondere Mühe; er schwenkte seine Arme und schärfte das Messer, als müsste er ein Krokodil und nicht einen Hammel zerlegen. Stolz zeigte er das schöne Stück Fleisch, das er aus der Hammelhälfte herausgeschnitten hatte, der Frau, und sie rief: »Oh, wonderful, isn't he cute?« Die Petersilie wusch Mahmud dreimal, was er sonst nie tat, dann entfernte er jedes gelbe Blättchen. Endlich war es so weit. Er holte seine schwarze Dose und rief seinen amüsierten Zuschauern zu: »Vary olt!«

»Oh, wonderful! What is this?« säuselte die Frau.

»Sag ihr, das ist ein altes Geheimnis, das mir mein seliger Vater weitergegeben hat. Er hatte es von einem Koch des großen Maharadscha von Indien gelernt, sage ihr das!«, befahl er mir, und ich übersetzte stotternd. Und wieder schrie sie in den höchsten Tönen: »Oh, how wonderful, it's just marvellous!«

»Die englische Sprache ist verdammt kurz. Hast du

das alles mit den zwei Wörtern gesagt?«, fragte Mahmud misstrauisch. Ich versicherte ihm, dass ich sogar erzählt habe, wie sein Vater auf dem Weg nach Indien sein Leben gefährdet hatte. Mahmud schien nicht so recht überzeugt zu sein.

»Zum Ausruhen!«, sagte er zu mir, und ich brach mir fast die Zunge, um den Touristen zu erklären, warum das Hackfleisch sich ausruhen sollte. Mahmud wusch seine Hände und stellte vier kleine Teller mit Oliven und Erdnüssen auf den Tisch, und eine kleine Flasche Schnaps und einen Krug Wasser holte er auch noch aus dem Kühlschrank. Die Touristen griffen zu, und die Frau rief immer wieder: »Oh, wonderful!«, was Mahmud verunsicherte, denn Ful bedeutet auf Arabisch »Saubohnen«.

»Sage ihr, das sind keine Ful, sondern Erdnüsse aus dem Sudan!«, sagte er irritiert.

Ich beruhigte ihn und übersetzte das Wort »wonderful«.

»Also doch, sie verstehen was vom Essen«, sprach er zu sich und fing an, die Spieße zu machen. Ich setzte mich nach draußen, um den Rauchwolken zu entgehen, die bald Mahmud und seine Kunden umhüllten.

Als die letzten Rauchschwaden abgezogen waren, schaute ich wieder zur Tür hinein. Die Touristen hatten die Oliven und Erdnüsse aufgegessen und auch den Schnaps und das Wasser getrunken. Einer der Touristen schwenkte die Kanne Mahmud entgegen, als dieser große flache Teller auf die Tische stellte. Schließlich legte Mahmud mit einer schwungvollen Geste die fertigen, wunderbar duftenden Spieße auf die Teller. Verschwitzt und zufrieden schaute er zu mir herüber.

»Nur noch eine Zigarette, dann gebe ich dir eine

Hammelbrust, wie sie nicht einmal Napoleon gegessen hat.«

Ich nickte, verstand aber nicht, wie Mahmud auf Napoleon gekommen war.

Erwartungsvoll starrte er wieder die Touristen an, die ihm begreiflich machen wollten, wie zufrieden sie mit seiner Vorstellung gewesen waren. Die Frau jubelte immer wieder »wonderful« und »very good« und kramte laut schnatternd in ihrer Handtasche herum, dann verteilte sie kleine Plastiktütchen.

Mahmud wollte sich gerade eine Zigarette in den Mund stecken und hielt mitten in der Bewegung inne.

»Was ist das?«, rief er entsetzt.

»Ketchup«, strahlten ihn die Leute an, als ob sie die besorgte Frage verstanden hätten, und drückten den roten Brei über die Kebabspieße.

Mahmud riss seine Arme in die Luft, schmiss die Zigarette quer durch den Raum und schrie: »Nein!!!«

Er packte einen Mann am Arm und ergriff die fleischigen Finger der Frau und schüttelte sie wütend, bis sie die Spieße auf den Teller fallen ließen.

»Was macht ihr mit meinem Kebab? Seid ihr wahnsinnig? Was wollt ihr mit dem Zeug?«, schrie er die Touristen an, so dass sie vor Angst erblassten.

Aufgeschreckt durch das Geschrei eilten die Nachbarn herbei und versuchten gleich zu vermitteln, nur der Friseur blieb vor der Tür stehen und schüttelte missmutig den Kopf. Mahmud tobte:

»Meine ganze Mühe für die Katz! Die ganze Arbeit, so eine Beleidigung! Raus! Raus mit euch! Sollen sie doch bei einem Kiosk das gebratene Zeug mit ihrem roten Kleber vollschmieren! Meinen Kebab aber nicht!«

Einer der Amerikaner zückte seinen Geldbeutel, und irgendein Nachbar versuchte zu übersetzen, dass der Mann die Vorspeise und die Getränke bezahlen wollte.

Mahmud aber keifte weiter:

»Geld? Von denen nehm' ich doch kein Geld! Diese Barbaren, meinen schönen Kebab so zu verschandeln! Das Geld können sie sich in ihren Hintern stecken, abhauen sollen sie.«

Er wollte sich auf die Touristen stürzen und sie aus seinem Laden werfen, aber die besorgten Nachbarn hielten ihn zurück. Schimpfend verließen die erschrockenen Gäste den Raum. Der Friseur stand draußen vor dem Laden und heuchelte laut: »So behandelt man doch zivilisierte Menschen nicht, was werden die jetzt über uns sagen?«

Mahmud stürzte wütend aus dem Laden.

»Zivilisiert sagst du? Sie sind bloß reich, aber von Kultur haben sie keine Ahnung. Sie wollten den Kebab mit Plastikbrei fressen!«

Der Friseur verschluckte seine Wut und zwang sich zur Ruhe. »Tja, andere Länder, andere Sitten!«, sprach er mit pathetischer Stimme.

»Ja, Mann, aber das hier ist unser Land!«, fauchte ihn Mahmud an.

Der Friseur sagte herablassend: »Was verstehst du schon!«, und zog sich in seinen Laden zurück. Mahmud wandte sich endlich zu mir. »Komm mit«, meinte er mit traurigem Gesicht.

Diesen Wassersäufer, den lass ich nie wieder an meine Haare!, schwor ich mir, als wir in den Laden gingen.

Hans Magnus Enzensberger

Cowper's Winch

Er lebte einfach in den Tag hinein und dachte gar nicht
daran, nachzudenken. Lieber wollte er dumm und
glücklich sein als schlau und voller Sorge. Caroline
brachte ihm das Reiten bei. Anfangs benahm er sich so
ungeschickt, daß er beinahe abgeworfen worden wäre,
aber Caroline war eine geduldige Lehrerin, und sein
Pferd war gutmütig. Bald durchstreiften sie ganze
Nachmittage lang die Umgebung und kamen erst in
der Dunkelheit zurück.

Einmal ritten sie an einer Siedlung aus Wellblechba-
racken vorbei. Halbnackte Kinder spielten auf der
Straße, und Männer mit Bierflaschen in der Hand johl-
ten hinter ihnen her.

»Das ist ja der reinste Slum«, sagte Robert. »So was
gibt es hier also auch?«

»Das sind nur die Wanderarbeiter«, erklärte ihm
Caroline. »Jetzt im Sommer haben sie nichts zu tun.
Dann saufen sie den ganzen Tag, und am Abend ver-
prügeln sie ihre Frauen.«

Robert sah sie verwundert an. Es schien ihr gar
nichts auszumachen.

»Du weißt doch, wie die Australier sind.«

Nein, das wußte er nicht.

»Sie haben nichts im Kopf als ihren Sport, ihre
Autos und ihr Bier. Uns halten sie für blöd, weil wir

Bücher lesen. Nicht einmal mit den Nachbarskindern kann ich mich unterhalten.«

»Warum denn nicht?«

»Weil sie langweilig sind!«

»Ich weiß nicht, was du hast, Caroline. Mir gefällt es hier.«

»Ja, du hast recht, es geht uns gut, und Annaby ist sehr schön. Aber auf die Dauer … Weißt du, ich möchte am liebsten weg von hier, weit weg! Etwas von der Welt sehen, reisen, meine eigenen Abenteuer erleben.«

Sie redet wie der Blinde von der Farbe, dachte Robert. Er sah sie an und hatte das Gefühl, daß er sie beschützen mußte.

»An deiner Stelle würde ich lieber hierbleiben«, sagte er endlich. »Woanders gibt es keine Pferde und keine Köchin, die dir deinen geliebten Plumpudding serviert.«

Sie ritten schweigend weiter, und erst, als sie vor dem Stall ihre Pferde absattelten, sagte Caroline: »Du hältst mich wohl für eine ziemlich verzogene Göre? Vielleicht bin ich das auch. Alle sagen, ich sei Daddys Liebling, obwohl er sich kaum mehr um mich kümmert in letzter Zeit.«

»Hauptsache, du hast es gut hier.« Robert wollte sie beruhigen, aber sie fuhr auf und rief: »Gar nichts verstehst du! Glaubst du, ich will mein Leben lang auf dieser blöden Farm versauern?«

Da nahm er sie einfach in den Arm, so lange, bis ihr Zorn verraucht war.

Vormittags, wenn Michael und Caroline ihre Stunden bei Mr Arbuthnot absaßen – der Unterricht fand wegen der Hitze in der kühlen Halle statt –, trieb sich Robert meistens beim Pferdestall, im Gewächshaus oder in der Remise herum. Er hatte sich sanft, aber entschieden geweigert, dabeizusein, wenn der Lehrer versuchte, den beiden englische Geschichte oder die trigonometrischen Funktionen beizubringen. In seinen Augen war der Mann eine Niete.

Dafür hatte es ihm der alte Crombie angetan. Er schlich um die Werkstatt herum und spähte heimlich durch die Fenster, bis der Alte eines Tages vor die Tür trat und ihn anknurrte: »Was gibt es da zu glotzen? Hast du nichts Besseres zu tun? Wenn du's nicht lassen kannst, komm lieber gleich rein, statt vor dem Fenster herumzulungern.«

Der Schuppen roch nach Schmieröl und verbranntem Gummi. »Gestern abend bin ich fertig geworden. Willst du sehen?« sagte Crombie und zeigte auf das Autowrack, das Robert schon beim ersten Mal bemerkt hatte. Es war ein alter Bentley mit geschwungenen Kotflügeln, breiten Trittbrettern und einem Reserverad auf dem Kofferraum. Die Karosserie war nicht mehr aufgebockt, wie er sie in Erinnerung hatte; der Alte hatte sie wieder auf das Chassis montiert.

»Ich hab's noch einmal hingekriegt«, sagte der Schmied.

Ungläubig betrachtete Robert das Resultat. Überall war der Lack abgesprungen, der Auspuff war verrostet, und die Windschutzscheibe sah aus, als sei sie von einem Stein getroffen worden.

»Mit dem alten Schlitten wollen Sie fahren?« fragte Robert.

»Und ob der fährt! Baujahr 1934, das ist noch solide Arbeit. So was wird heutzutage gar nicht mehr hergestellt. Du kannst ja mitkommen, wenn du es nicht glaubst.«

»Wohin denn?«

»Nur eine kleine Probefahrt zu meinem Kumpel nach Cowper's Winch. Los, steig ein!«

Warum eigentlich nicht? Robert hatte Lust auf einen Ausflug. Crombie warf noch einen Benzinkanister und einen Wassertank auf den Rücksitz. Dann fuhr er los.

Zuerst kamen sie durch ein paar kleine, staubige Ortschaften, die einen verlassenen Eindruck machten. Bald gab es keine Felder und keine Zäune mehr. Auf der weiten, dürren Ebene wuchsen nur struppige Bäume und harte Steppengräser. Einmal kamen sie an einem riesigen, schneeweißen See vorbei.

»Salz, nichts als Salz«, erklärte Crombie. »Das Wasser siehst du nicht. Es liegt unter einer dicken Kruste. Zwei Meter dick. Das hält kein Fisch aus. Alles tote Hose!«

Als sie schon vier Stunden unterwegs waren, wurde Robert allmählich unruhig. »Sag mal, Crombie«, fing er an, »wo fahren wir eigentlich hin?«

»Das wirst du schon sehen.«

»Ich muß aber zum Abendessen wieder in Annaby sein, sonst macht sich Lea, ich meine, Mrs Sutton, vielleicht Sorgen.«

»Die schöne Lea! Soweit hast du's also bereits gebracht. Alle Achtung!«

»Du kannst sie nicht leiden, gib's zu! Du kannst überhaupt keinen von den Suttons leiden.«

»Na und? Meine Kumpel sind mir lieber. Ich bin der einzige, der in Annaby geblieben ist, weil ich zu alt für den Busch bin. Weißt du was? Das sind gar keine richtigen Australier, die Suttons. Die bilden sich ein, daß sie was Besseres sind, weil sie einen Haufen Geld

haben, und führen sich auf, als wären sie in England.«
Er schnaubte verächtlich durch die Nase. »Und du?
Bist du auch so einer?«

»Na ja«, antwortete Robert, »eigentlich bin ich gar
nicht von hier. Aber zu mir waren sie alle sehr nett, das
muß ich schon sagen.«

»Dann wird es aber Zeit, daß du mal was anderes
siehst.« Mehr wollte Crombie nicht sagen. Robert
wäre fast eingeschlafen, so eintönig war die Landschaft. Einmal stieß der Alte ihn an, und Robert sah,
wie ihnen eine Herde von Kamelen entgegenkam. Es
waren mindestens zwei Dutzend Tiere, die gemächlich
über die Straße trotteten. Robert glaubte zu träumen.
Gab es denn in Australien Kamele? Aber Crombie
schien nicht überrascht. Gleichmütig bugsierte er seinen schönen Bentley, der sich in dieser wüstenhaften
Umgebung noch bizarrer ausnahm, durch die gaffende
Herde. »Die sind die reinste Landplage«, sagte er.
»Machen die Vegetation kaputt und vermehren sich
wie die Karnickel. Wir haben schon Tausende von
ihnen abgeschossen, aber es hilft nichts.«

Es dämmerte bereits, als Robert in der Ferne eine
Kette von weißen Hügeln entdeckte. Schnee konnte
das nicht sein. Vielleicht Salz?

»Wir sind bald da«, erklärte Crombie. »Da vorn,
das ist Cowper's Winch. Siehst du den Abraum, die
Haufen da drüben? So schaut es überall aus, wo die
Digger arbeiten. Was? Du weißt nicht, was ein *Digger*
ist? So was will ein Australier sein!«

Nach und nach holte Robert das Wichtigste aus
dem Schmied heraus. An diesem Ort, wo es kaum
mehr als ein paar Blechhütten gab, wohnten über tausend Menschen, die aus aller Welt hierhergekommen

waren, um in der Erde zu wühlen, auf der Suche nach Edelsteinen.

»Opale«, schrie der Alte. »Die schönsten Opale der Welt! Wenn du Glück hast und findest einen schwarzen oder einen Harlekin, kannst du gut und gern ein paar hundert Pfund dafür kriegen. Nur tief leuchten muß er, brillantes Farbenspiel, verstehst du, und keine milchigen Stellen darf er haben. Bob Mulligan, mein Kumpel, ist schon seit zwanzig Jahren da. Er versteht was davon, das kannst du mir glauben.«

Links und rechts von der Straße waren nun, mitten in der Geröllwüste, riesige Maulwurfshügel aus hellem Sand zu sehen. Da und dort gab es verlassene Stollen und Schächte. Nirgends ließ sich ein Mensch blicken.

»Wo hausen denn die *Digger*«, wollte Robert wissen. Er hatte sich damit abgefunden, daß er hier in der Wildnis übernachten mußte, aber irgendwo, dachte er, wird es an diesem verdammten Ort doch Betten geben, eine Herberge, etwas zu essen …

»Du wirst schon sehen.« Das war alles, was er zu hören bekam. Ein Stück weiter begegneten sie den ersten Opalschürfern. Die sahen zwar zerlumpt und ungewaschen aus, aber bärenstark. Das Weiße der Augen leuchtete aus ihren lehmverkrusteten Gesichtern, und in ihren Haaren klebte der Staub. Robert hatte den Eindruck, daß mit denen nicht gut Kirschen essen war. Crombie steuerte sein altes Auto mitten durch den Sand, und plötzlich blieb er stehen.

»Endstation«, rief er. »Du kannst aussteigen.« Robert sah sich um. Nirgends eine Spur von Leben. »Hier«, befahl der Alte. Er war vor einem Erdloch stehengeblieben. »Bill!« schrie er. »Komm heraus!«

Eine dumpfe Stimme antwortete, und in dem Loch wurde es hell. Im Schein einer Blendlaterne sah Robert, daß eine sauber ausgestemmte Treppe nach unten führte. Ein stämmiger Mann mit nacktem Oberkörper kam aus der Tiefe, stürzte auf Crombie zu, schlug ihm auf die Schulter, umarmte ihn, fluchte und lachte. Die beiden führten vor Freude einen Bärentanz auf. Robert war vergessen.

»Komm herein«, sagte der *Digger*.

»Den da habe ich mitgebracht. Das Bürschchen hat sich bei den Suttons eingenistet, du weißt schon. Aber ich glaube, er ist nicht so übel.«

Hinter den beiden stolperte Robert die steile Treppe hinunter in einen tiefen Schacht. Dort war es angenehm kühl.

Eine richtige Höhlenwohnung hatte dieser Bill sich drei, vier Meter unter der Erde ausgebaut. Stockbett, Spirituskocher, Wassertank und Spind, und weiter hinten in einer Ecke Pickel, Schaufeln, Siebe, Meißel und schwere, lehmbedeckte Schlagbohrer – das war die ganze Einrichtung.

Sofort holte der *Digger* Brot, Rauchfleisch, Messer und Gläser hervor. Vor allem aber schleppte er einen Kasten Bier herbei. Robert aß und trank mit, aber er war todmüde, und nach einer Weile rollte ihm Bill einen Schlafsack aus, der nach Petroleum roch. Lange hörte er die beiden noch reden, schimpfen, singen und grölen, doch obwohl sie sehr laut waren, schlief er endlich ein.

Als sie am andern Morgen nach oben stiegen, lag ein gleißendes Licht über der baumlosen Ebene. Zwischen den Maulwurfshügeln herrschte bereits ein reges Treiben. Überall scharrten, frästen und bohrten die *Digger* in ihren Stollen und Gängen. Manche *Claims* waren wie richtige Bergwerke ausgeschachtet, und ihre Besitzer hatten Flaschenzüge, schwere Bohrmaschinen auf eisernen Schienen und unförmige Staubsauger aufgebaut. Andere mühten sich mit Schaufeln und Pickeln ab.

»Kann hier jeder sein Glück versuchen?« fragte Robert.

»Hast du Lust, zu schürfen? Laß es lieber bleiben! Länger als drei Tage hältst du das nicht durch«, sagte der Alte grimmig.

»Laß ihn doch«, widersprach ihm Bill. »Wir haben alle klein angefangen. Also paß auf! Ein *Permit* kriegst du hier fast umsonst. Dann kannst du dir einen *Claim* abstecken. Natürlich sind die guten Plätze alle längst vergeben. Deine Chancen sind also gleich Null. Aber nur, was unter der Erde ist, gehört dem *Digger*. Was er durchsucht und auf die Halde geworfen hat, ist herrenloses Gut. Da kann jeder drin herumwühlen, soviel er will. Die armen Schweine da drüben, das sind lauter *Noodler*. So heißen die, die keinen eigenen *Claim* haben. Die können einem leid tun. Na ja, aber ab und zu findet doch einer was.«

»Unsinn«, brummelte der alte Crombie. »Alles Unsinn. Von diesen *Noodler*-Geschichten glaube ich kein Wort. Laß uns lieber noch einen trinken gehen, bevor ich wieder fahren muß. Gibt es Ellys Bude noch? Ich spendiere euch eine Runde.«

Aber Robert hatte keine Lust, am frühen Morgen schon ein paar Flaschen Bier zu trinken. »Wenn du mir eine Schaufel leihst, will ich es probieren«, sagte er zu Bill. Die beiden Männer lachten ihn aus. Crombie tippte sich an die Stirn, aber sein gutmütiger Freund sagte: »Auch ein blindes Huhn findet manchmal ein Korn«, und so ließen sie ihn allein, mit einer Schaufel in der Hand, in der Wüste, unter der tausend Maulwürfe ihre Gänge vorantrieben.

Robert wußte nicht, wo er anfangen sollte. Aufs Geratewohl wühlte er in dem nächsten Sandhaufen, aber als die Sonne höher stieg, ließ sein Eifer bald nach. Nirgends gab es hier einen schattigen Fleck. Je länger er im Geröll herumstocherte, desto mehr machte ihm der Staub zu schaffen. Schon bereute er, daß er nicht mitgefahren war. Er stellte sich vor, wie Crombie und sein Kumpel Bill in einem schattigen Zelt saßen, und der Gedanke an ein kühles Glas Bier trocknete ihm den Mund aus.

»Gib's auf!« Eine rauhe Stimme von hinten ließ ihn zusammenfahren. Er wandte sich um und sah einen kleinen, dunkelhäutigen, bärtigen Mann mit breiter Nase, buschigen Augenbrauen und zotteligem Haar, das unter einem breitkrempigen Hut hervorkam. Das war also einer von den Wilden, die Caroline so unheimlich waren. Doch der Mann sah ganz normal aus mit seiner Sonnenbrille und seinen sandfarbenen Hosen.

»Wo kommst du denn her? Du wirst dir einen Sonnenstich holen, mein Freund, wenn du so weitermachst, ohne Hut und Handschuhe.«

»Ich bin nicht von hier«, sagte Robert und ließ die Schaufel sinken. Er wußte nicht, warum, aber der kleine Mann schüchterte ihn ein.

»Von hier seid ihr alle nicht. Ich bin, glaube ich, der einzige. Willst du einen Kaugummi?«

Es war lange her, daß Robert seinen letzten Kaugummi im Mund hatte – damals, in dem russischen

Kino. Der Geschmack von Pfefferminz war genau das, was er jetzt brauchte; das war noch besser als ein Bier.

»Danke. Danke sehr«, sagte Robert. »Aber wieso sind Sie der einzige?«

»Die andern, das sind alles nur hergelaufene Leute aus der ganzen Welt.«

»Keine richtigen Australier?«

»Richtige Australier gibt es nicht, Freundchen. Die Weißen bilden sich ein, sie wären hier zu Hause. Aber niemand hat sie gerufen. Es war nur ein Zufall, daß sie hier gelandet sind.«

Genau wie ich, dachte Robert.

»Was haben sie überhaupt bei uns zu suchen?« rief der Mann. Er schien Robert vergessen zu haben. Seine Augen funkelten, und seine Stimme überschlug sich beinahe, als er fortfuhr: »Das ist unser Land«, krächzte er. »Wir waren schon immer hier.«

»Ich kann nichts dafür«, stammelte Robert.

»Schon gut. Aber was hast du hier verloren?«

»Ich suche Steine. Mein Freund hat mir gesagt, hier kann jeder graben.«

»Ha! Da kannst du lange herumfuhrwerken mit deiner lächerlichen Schaufel, mein Kleiner. Ich bin schon seit sieben Jahren dabei, und was habe ich davon? Nicht einmal ein Paar neue Schuhe. Diese verdammten Opale bringen nur Unglück. Weißt du das nicht, oder stellst du dich dumm?«

Er hatte ebensowenig Lust wie Robert, weiterzuarbeiten, und so unterhielten sich die beiden über die *Digger* und *Noodler*, und Robert erfuhr manches, wovon die Leute in Annaby keinen Schimmer hatten.

Als der alte Crombie in seinem rostigen Bentley wiederkam, stand die Sonne schon hoch am Himmel. Er warf dem kleinen Schwarzen einen finsteren Blick zu und winkte Robert, er solle einsteigen. Der bückte sich und steckte sich noch rasch ein paar Steinbrocken in die Tasche, als Andenken – eine dumme Gewohnheit, von der er nicht lassen konnte. Er verabschiedete sich höflich von seinem struppigen Freund, der dem Wagen mit unbewegter Miene nachsah, bedankte sich bei Bill für die geliehene Schaufel, und sie machten sich auf den Heimweg.

»Sieh lieber nach, ob er dir was geklaut hat«, ermahnte ihn Crombie. »Vor denen da mußt du dich in acht nehmen!«

»Ich habe doch gar nichts«, sagte Robert und leerte zum Beweis seine Hosentaschen aus. »Nur ein bißchen Dreck. Das ist alles, was ich gefunden habe.«

»Siehst du? Was habe ich dir gesagt?«

Viel mehr wurde auf der langen Fahrt nicht geredet. Einmal ging ihnen das Benzin aus, und Robert mußte aus dem Reservekanister den Tank nachfüllen.

»Paß auf!« schrie der Alte. Eine schwarze Schlange glitt über die Piste. Robert sprang beiseite. »Das kommt davon«, brummelte Crombie, »wenn man sich mit solchen blödsinnigen Schuhen im Busch herumtreibt. Da hast du noch mal Glück gehabt. Wenn sie dich erwischt hätte, wär es aus mit dir gewesen. Die Viecher sind tödlich, merk dir das!«

Er war eben ein alter Griesgram. Aber Robert mochte ihn, und das Abenteuer in Cowper's Winch hatte ihm gefallen, obwohl er keinen einzigen Opal gefunden hatte. Trotzdem war er froh, als spät am Abend die Lichter von Annaby auftauchten. Vielleicht haben sie alle miteinander recht, dachte Robert, der alte Crombie, Bill der *Digger*, und der Wilde, der ganz und gar nicht wild war. Vielleicht war er selber ebenso verwöhnt wie seine Freundin Caroline. Doch als Lea ihm Vorwürfe machte, weil er zwei Tage lang verschwunden war, ohne Bescheid zu sagen, und ihm rasch noch ein Glas Eistee und ein paar Brote hinstellte, war er glücklich und erleichtert.

Jutta Richter

Ein Schatten,
der auf den Sommer gefallen war

Es war so ein Sommer, der nicht aufhört. Und wir konnten uns nicht vorstellen, dass es je wieder einen Winter geben würde, einen Winter, bitterkalt mit richtigem Schnee und einer dicken Eisschicht auf dem Wassergraben.

Es war so ein Sommer, der nicht aufhört. Er hatte im Mai angefangen. Die Sonne schien jeden Tag. Die Pfingstrosen setzten Knospen an, die Blütenkerzen der Kastanienbäume explodierten über Nacht. Gelb leuchtete das Rapsfeld und hoch über uns zerschnitten die Mauersegler den unendlich tiefen blauen Himmel.

Nur das Wasser hatte noch seine Winterfarbe: Schwarz und undurchsichtig, aber wenn wir uns lange genug über das steinerne Brückengeländer beugten, konnten wir doch die kleinen Rotfederfische erkennen, die sich knapp unter dem Wasserspiegel sonnten.

»Wasseraugen«, sagte ich. »Vom langen Hinkucken kriegt man Wasseraugen.«

»Stimmt«, sagte Christian.

»Und dann kann man durchkucken und man kann den Grund sehen und da steht der Hecht!«

Tom war ganz aufgeregt und seine Stimme wurde hoch und laut.

»Na klar! Und wenn wir den Hecht sehen können,

brauchen wir nur noch eine Angelschnur und Hecht-haken.«

»Spinner«, sagte Christian, »Senke brauchste und Käscher!«

»Warum denn?«

»Die Senke für den Köderfisch und den Käscher zum Rausholen. Der Hecht reißt dir die Schnur durch, wenn du den hochziehen willst.«

»Und wofür ist der Köderfisch?«, fragte Tom.

»Zum Locken«, sagte Christian.

Er spuckte ins Wasser.

Neugierig schwammen die kleinen Rotfedern näher. Dann spritzten sie plötzlich auseinander und waren verschwunden,

»Das ist er!«, rief Tom.

Und wirklich, eine Zehntelsekunde lang hatte auch ich, dicht unter der Wasseroberfläche, den silbrigen Fischbauch erkannt, bevor der Hecht wieder hinunter-schoss in die schwarze undurchsichtige Tiefe.

Über uns flatterte krächzend ein Dohlenschwarm und zwei Blesshühner trieben mit ruckenden Kopfbe-wegungen unter der Brücke durch. Die Sonne machte den Rücken ganz warm, und als das Wasser wieder glatt und ruhig war, sagte Christian:

»Den kriegen wir! Wer Wasseraugen hat, der kann auch Hechte fangen!«

Das Angeln war nicht erlaubt, an fast allen Bäumen hingen Schilder: Angeln verboten. Jedes Zuwiderhan-deln wird bestraft. Der Eigentümer.

»Merkt der doch gar nicht!«, sagte Christian.

»Und wenn der Graf vorbeikommt? Oder der Ver-walter? Oder überhaupt einer?«, fragte Tom.

»Mann, dann sitzen wir einfach nur auf der Brücke! Die Angelschnur ist durchsichtig. Die Rolle passt in eine Hand! Faust machen, fertig!«

»Und was ist mit Mama? Mama will auch nicht, dass wir angeln!«, sagte Tom.

Christian sagte nichts mehr, sondern starrte ins schwarze Wasser. Beim Verwalterhaus knallte ein Luftgewehrschuss und die Dohlen flogen schwarz und laut schimpfend im Tiefflug über das rote Ziegeldach.

Tom rückte näher an mich ran.

»Weißt du schon, dass die Humpelhenne jetzt vier Küken hat?«, fragte er leise.

»Die sind erst vorgestern ausgeschlüpft. Der Christian hat sie noch nicht gesehen, aber ich! Und Mama hat gesagt, dass sie mitkommt, und dann fängt sie eins für mich, und dann darf ich es anfassen … Soll ich euch die Küken mal zeigen?«

Ich nickte.

»Komm, Alter! Dein Bruder zeigt uns die Humpelhennenküken!«

Christian rührte sich nicht.

»Ich will keine Küken kucken«, murmelte er. »Ich will den Hecht! Kükenkucken ist Babykram!«

»Kükenkucken ist Babykram!«, äffte Tom ihn nach. »Mein doofer Bruder will das nicht!«

Die Humpelhenne hatte nur noch einen Fuß.

Das war die böse Erinnerung, die vom letzten Sommer übrig geblieben war.

Und jedes Mal, wenn die Henne über den Hof humpelte, musste ich an diese Geschichte denken, und ich schämte mich.

Denn eigentlich war ich schuld, dass die Henne nur

einen Fuß hatte. Schließlich war ich die Älteste und verantwortlich.

Damals hatte Gisela zum ersten Mal ins Krankenhaus gemusst und ich hatte ihr versprochen, dass ich mich kümmern würde um die zwei.

Nicht nur wie sonst eine Stunde bei den Hausaufgaben helfen. Nein, richtig kümmern, damit Christian und Tom nicht allein waren, an den Nachmittagen bis Dieter von der Arbeit kam.

Die Nachmittage waren lang und wir vertrieben uns die Zeit bis zum Abend mit Rotfederfangen.

Die kleinen dummen Rotfedern konnte man mit Brot anlocken. Am liebsten fraßen sie Weißbrot, ganz frisches Weißbrot. Und davon war immer genug da in der Brottrommel in Giselas Küche.

Dieter trug nämlich jeden Abend ein frisches Weißbrot in der Aktentasche. Das hatte Gisela ihm aufgetragen, bevor sie los musste.

»Und vergiss nicht, den Jungen immer ein Brot mitzubringen! Die sind hungrig nach der Schule! Und denk dran, Weißbrot essen sie am liebsten! Vergiss das nicht!«

Wahrscheinlich wäre Dieter ziemlich sauer geworden, hätte er gewusst, dass wir die Hälfte seiner Weißbrote an die blöden Rotfedern verfütterten, aber er ahnte ja nichts. Im Gegenteil, abends freute er sich immer, dass kein Krümel mehr da war.

Ich hatte heimlich gegrinst und gedacht, wie dumm Väter doch sind, weil sie noch nicht mal wissen, dass zwei kleine Jungen nie im Leben ein ganzes großes Weißbrot allein aufessen können.

Das Rotfederfangen war dann doch nicht so einfach gewesen, wie ich geglaubt hatte ... Die Sache mit dem Eimer klappte nicht.

Wir hatten den Eimer an Giselas grüne Wäscheleine gebunden und ihn knapp unter die Wasseroberfläche gesenkt, dann warfen wir Brotstückchen ins Wasser. Wenn das Wasser dann brodelte, weil die Rotfedern gierig nach dem Brot schnappten, zogen wir den Eimer hoch. Aber wir waren jedes Mal zu langsam. Die Rotfedern spritzten auseinander und der Eimer blieb leer.

»Das ist doch Angeln für Arme«, maulte Christian. »In hundert Jahren fängst du so keine Rotfeder! So was können sich doch nur Weiber ausdenken!« Er rotzte ins Wasser.

»Hast du etwa eine bessere Idee?«

»Hab ich!«, sagte Christian. Er wühlte in seiner Hosentasche und legte eine Rolle Nylonschnur auf die Mauer. Aus der anderen Tasche zog er einen kleinen Angelhaken mit einer scharfen Spitze. Er fing an, die durchsichtige Schnur durch die Öse des Hakens zu fädeln, dann wickelte er das eine Ende fünfmal um die Schnur und zog den Faden fest.

»Woher hast du den Haken?«, fragte ich.

»Getauscht!«, antwortete Christian und klebte ein Weißbrotkügelchen um den Haken.

»Aber das ist Angeln und das dürfen wir nicht!«, sagte Tom.

Christian ließ die Schnur ins Wasser gleiten.

»Und wenn uns einer erwischt?!«, fragte Tom.

Ich legte den Arm um ihn und wir kuckten ins Wasser. Die kleinsten Rotfedern schwammen sofort näher und fingen an am Brot zu knabbern. Plötzlich schoss eine große dazwischen und schluckte gierig den ganzen Klumpen. Christian gab etwas Leine, bevor er mit einem scharfen Ruck anzog. Die Schnur spannte sich und wir sahen, wie die Rotfeder versuchte abzutauchen. Sie schlug mit dem Schwanz, sie zog und zerrte, aber sie saß fest am Haken.

»Zieh hoch«, sagte Tom. Und Christian zog. Die Rotfeder zappelte wie wild, krümmte sich und schlug mit dem Schwanz. Tom packte sie, aber sie flutschte ihm durch die Finger und hing dann in der Luft, bis er wieder zupackte und diesmal festhielt.

»Und jetzt?«, fragte ich.

»Jetzt muss man den Haken lösen«, sagte Christian.

»Dann tu das, aber mach schnell!«

»Ich pack den nicht an«, sagte Christian.

»Feigling!« Tom sperrte mit Daumen und Zeigefinger das Fischmaul auf. Der Haken hatte sich ziemlich vorn festgebohrt. Tom fasste den Haken an und schob ihn ein wenig tiefer. Wir hörten ein leises Knacken, als er sich löste. Die Rotfeder zappelte nicht mehr. Sie sah ziemlich tot aus.

»Mach schon«, sagte ich. »Wirf sie wieder rein!«

Eine Sekunde lang lag die Rotfeder reglos im Wasser, dann schlug sie plötzlich mit dem Schwanz und tauchte ab, ins Schwarze.

Toms Hand war ganz schleimig und stank nach Fisch. Er wischte sie an seiner Hose ab.

»Wenn die Stress kriegen, schleimen die immer«, sagte Christian.

Das ist der Angstschweiß der Fische, dachte ich. Glitschig werden ist ihre einzige Chance. Wenn sie sich glitschig machen, rutschen sie sogar dem Fischreiher aus dem Schnabel. Aber irgendwie war es auch eklig und eigentlich hatte ich keine große Lust, weiter zu angeln.

»Wir sollten was anderes machen«, schlug ich vor. »Wie wär's mit Pfeilwerfen?«

»Du spinnst wohl«, sagte Tom. »Jetzt haben wir endlich den Bogen raus mit dem Angeln und jetzt hast du keine Lust mehr.«

»Aber ich find das nicht gut«, sagte ich. »Der Haken tut dem Fisch bestimmt weh. Eigentlich ist das Tierquälerei!«

»Quatsch«, sagte Christian. »Du hast doch gesehen, wie lebendig der war. Der weiß doch schon gar nicht mehr, dass er angebissen hat. Fische haben kein Gedächtnis.«

Und keine Stimme, dachte ich, Fische können noch nicht mal schreien.

Christian versuchte die Nylonschnur wieder aufzuwickeln. Aber das ging nicht, weil sich die Schnur verheddert hatte. Er fluchte leise. Dann nahm er sein Opinelmesser und schnitt das verhedderte Stück einfach raus.

Als Gisela wiederkam, lagen überall auf dem Schlosshof durchsichtige Nylonschnurenden. Denn wir hatten tatsächlich jeden Nachmittag geangelt und sogar mich hatte dieses seltsame Fieber gepackt.

Ein Jagdfieber. Ein Kribbeln im Bauch, wenn wir den brotumwickelten Haken im Wasser tanzen ließen und die blöden Rotfedern sich darauf stürzten. Würden sie anbeißen? Oder würden sie nur, wie so oft, den Brotklumpen abknabbern?

Und dann war die Sache mit der Humpelhenne passiert ...

Solange ich denken kann, lebte das Pfauenpärchen

im Schlosshof. Den Hahn nannten wir Paulchen, und wenn ich im Winter das Fenster öffnete, konnte ich ihn sogar vom Dach rufen, dort stieß er sich ab und flog schwerfällig über den Wassergraben, weil er wusste, dass ich Maiskörner streuen würde. Die Henne war scheu und kam immer etwas später. Sie fraß uns auch nicht aus der Hand. In den Sommernächten schliefen die Pfauen in der alten Kastanie und zerschrien die Stille, sobald ein fremdes Geräusch sie weckte, ein Lachen oder ein Singen oder ein Husten oder die Schritte der Liebespaare bei Vollmond.

Tom hatte es zuerst gesehen. Er wartete vor der Tür auf mich, als ich aus der Schule kam.

»Die Henne ist krank«, sagte er. »Die Henne humpelt und hat einen ganz schwarzen Fuß. Komm mit, du musst das sehen!«

Wir liefen zur Südwiese, wo die Pfauen tagsüber nach Würmern suchten. Ich hatte eine Hand voll Maiskörner mitgenommen. Und wir riefen Paulchen und Paulchen kam und hinter ihm zögernd und misstrauisch die Pfauenhenne. Als sie nah genug war, sah ich, was geschehen war:

Die dünne, durchsichtige Angelschnur hatte sich fest um ihr Bein gewickelt. Der Fuß war schwarz angelaufen und die Zehen hingen schlaff und leblos herab. Sie hatte das kranke Bein angezogen und hüpfte torkelnd auf dem anderen Fuß.

Tom hielt meine Hand ganz fest.

»Das ist unsere Angelschnur«, flüsterte er. »Wir müssen was machen!«

Drei Nachmittage lang hatten wir versucht die Henne zu fangen. Mit Netzen und Decken und Brotstückchen und Maiskörnern. Aber die Henne war schneller als wir gewesen. Sie flatterte immer wieder laut schreiend über den Wassergraben und am dritten Nachmittag mussten wir aufgeben, weil uns der Verwalter erwischte.

Er stand plötzlich vor uns wie aus dem Boden gewachsen. Mit seinen schweren Jagdlederstiefeln und der grünen Kniebundhose. Die Hände in die Hüften gestemmt, blickte er zornfischäugig auf uns hinab und brüllte dann los.

Was uns wohl einfiele! Wir wären doch von allen guten Geistern verlassen! Wie wir es wagen könnten, die Pfauen des Grafen zu jagen! Und darauf könnten wir uns verlassen, beim nächsten Mal bekämen es unsere Eltern schriftlich, dass wir nie mehr die Südwiese betreten dürften!

Offenbar hatte er gar nicht gemerkt, dass die Henne ein krankes Bein hatte. Und wir trauten uns nicht, es ihm zu sagen, weil dann das mit dem Angeln herausgekommen wäre und weil wir Angst vor ihm hatten.

Als er weg war, schmiss Christian sich auf die Wiese und weinte. Ich hatte ihn noch nie so weinen gesehen. Seine Schultern zuckten und er schluchzte laut ins Gras.

»Das ist meine Angelschnur!«, schluchzte er. »Ich bin schuld!«, schluchzte er. »Ich bin schuld, wenn sie stirbt!«

»Aber nein«, sagte ich. »Das war ein Unfall! Du kannst nichts dafür!«

»Kann ich doch!«, schluchzte Christian und sprang auf. »Ich bin immer schuld!«, rief er und rannte weg.

»Meinst du, sie stirbt wirklich?«, fragte Tom und nahm meine Hand.

Ich wusste es nicht.

Ich wusste nur, dass ein Schatten auf den Sommer gefallen war.

Wir angelten nicht mehr. Als der Herbst kam, war die Pfauenhenne zur Humpelhenne geworden. Die schwarzen Zehen waren abgefallen, und sie lebte noch.

Aber in diesem Sommer, in diesem Sommer, der nicht aufhören wollte, war alles anders.

Diesmal lag kein Schatten über dem flimmernden Wassergraben. Unten stand der Hecht, und wir würden ihn fangen. So oder so …

Lars Gustafsson

Die Geschichte von Tante Clara

Sie war den Onkeln überhaupt nicht ähnlich. Die Onkel waren ziemlich große, etwas klobige Männer, manche davon hässlich, wie Onkel Knutte mit seiner Glatze und seinen Hängebacken, andere wieder recht ansehnlich, wie Onkel Stig mit seinem viereckig geschnittenen Bart und seinen hohen Schläfen, die ihn manchmal fast wie einen polnischen Landadligen aussehen ließen.

Sie hatten etwas Vierschrötiges, Derbes. Sie gehörten zu den Männern, die einen Kahn ordentlich zum Schaukeln bringen, wenn sie sich hineinsetzen. Sie bewegten sich mit schweren, entschlossenen Schritten, sodass die Fußböden knarrten, wenn sie darübergingen. Sie redeten bedächtig und legten die Stirn in tiefe Falten, und wenn man sie etwas fragte, entstand immer eine Pause, bevor sie eine Antwort fanden.

Tante Clara, die jüngste von den Geschwistern, war von ganz anderer Art.

Sie war klein, dunkel, lebhaft, mit großen Augen, viel zu großen, wie einmal jemand sagte.

Ihr etwas widerspenstiges dunkles Haar fiel weit über die Schultern herab. Besonders am frühen Morgen konnten ihre Augen ein wenig rot gerändert sein, und wenn sie einen über den Frühstückstisch hinweg ansahen, konnten sie eine eigentümliche Vornehmheit haben: Man fühlte sich nicht so *fein* wie sie.

Sie war eine ziemlich kleine Frau, die sich mit tänzelnden Schritten durch die Welt bewegte und mit einer dunklen, sehr schönen Altstimme sprach.

Wenn sie uns im Sommer besuchte, pflegte sie ein rotgepunktetes Strandkleid zu tragen, das ihre schönen Schultern frei ließ. Eine richtige Sonnenbräune bekam sie nie. Sie war immer ein ganz klein wenig blass.

Sie redete schnell und ungeheuer viel, und ihre Stimme war so schön, dass ich als Junge fast nie mitbekam, was sie eigentlich sagte, denn alles, was sie sagte, klang wie Musik.

Einige von Béla Bartóks Streichquartetten können mir noch heute einen Schauer den Rücken hinterjagen, weil sie mich so stark an Tante Claras sanfte, schnurrende Altstimme erinnern, wie sie in der Morgensonne in Ramnäs auf der Treppe sitzt und ihren Morgenkaffee trinkt.

Es verstand sich von selbst, dass Tante Clara feiner war als wir, und es war immer eine große Ehre, wenn sie zu Besuch kam. Sie wurde stets mit einem Taxi am Bahnhof vom Dreiuhrbus abgeholt, und mein Vater hatte immer so etwas wie einen Sommeranzug an, wenn sie kam, von Bierflaschen war dann keine Rede mehr, und sie musste stets ein Glas und eine Wasserkaraffe in ihrem Schlafzimmer haben, nicht, weil sie es brauchte, sondern weil sie so fein war.

Ich liebte sie unsäglich. Wenn sie sich mir manchmal zuwandte, mich mit ihren großen, blauen, forschenden Augen ansah und sagte:

»Lars, magst du mir nicht zeigen, wie weit du mit dem Boot gekommen bist?«, lief mir vor unverhohlener Freude ein Kribbeln bis in den Magen hinunter. Es war eine Bestätigung, dass es mich gab, dass wir in irgendeiner fernen Welt ebenbürtig waren, und sie ließ die Sonne den ganzen Tag etwas heller scheinen.

Ich versuchte ihr immer so nahe zu kommen, dass ich den Duft ihrer schmalen, weißen Oberarme spüren konnte. Selbst dieser Duft war anders, irgendwie feiner als der anderer Leute.

Ich war in der Frühpubertät, ein wenig stumpf, ein wenig dumm und von einer Unruhe erfüllt, die sich darin ausdrückte, dass ich ganze Sommer lang ein eigenes Boot aus Sperrholz zu bauen versuchte. Diese Boote fielen etwas zusammengestückelt und komisch aus, teils, weil man keine großen Sperrholzstücke bekommen konnte, teils, weil ich einfach so schrecklich dumm war, und sie sanken immer, wenn sie zu Wasser gelassen werden sollten, unter dem furchtbaren Gelächter meines Vaters.

Dann begann ein emsiges Abdichten und Bosseln mit verschiedenen Teersorten, Pech und Leim und weiß der Himmel was noch allem. Und es war immer dasselbe Elend. War es mir endlich gelungen, das Boot so abzudichten, dass es das Wasser drei Minuten lang abhielt, dann brach plötzlich der ganze Boden heraus.

Tante Clara war die Einzige, die nicht lachte. Sie pflegte in einem Liegestuhl am Strand zu sitzen, mit einem großen, weißen Sonnenhut auf ihrem braunen Haar, nach verschiedenen Sorten von Sonnenöl duftend, und manchmal blickte sie über den Rand der *Femina* und musterte mich mit ihren großen, geheimnisvollen Augen, wie ich da mit meinen nackten Schultern schuftete und mich mit Hobel, Hammer und Säge an meinen widerspenstigen, Sperrholzstücken abmühte.

Es war ein sonderbares Gefühl. Ein gutes. Ein verwirrendes.

Tante Clara hatte ein Geheimnis. Es war in ihren Düften, in ihrer Stimme, es war wie eine Frage, die immer in ihren großen Augen stand.

Sie war umgeben von einer Aura der Behutsamkeit. Man redete nie über sie, wenn sie gerade in einem anderen Zimmer war.

Bei den Onkeln tat man das immer. Man sagte: »Er wird doch nicht schon wieder getrunken haben?«,

oder:

»Ist er schon wieder am Erfinden? Er *wird* doch wohl die Pumpe nicht noch mal auseinander nehmen? Ich werd verrückt!«

Wenn Tante Clara kurz hinausging, um ihr Sonnenöl zu holen oder ihre Zigaretten (sie rauchte ununterbrochen, ihre schmalen, kleinen Fingerspitzen waren gelb vom Nikotin, meine Mutter fand es scheußlich, wenn Damen rauchten, verlor aber nie ein Wort darüber), entstand nur ein höfliches Schweigen.

Sie *bekrittelte* man nicht.

Und manchmal kamen Anrufe. Ziemlich oft sogar.

Auf der anderen Straßenseite wohnte ein ehemaliger Sägewerksvorarbeiter namens Isaksson, ein großer, schwerer Mann mit melancholischen Augen, viel zu langen Armen und einem sonderbaren vorgebeugten Gang.

Er hatte zeitweise das gesamte Sägewerk geleitet, aber wie er selbst sagte, hatte er dort »nicht gut getan«, hatte dann freiwillig gekündigt und lebte nun von der Bienenzucht, die hübsche Gläser mit der blaugelben Bauchbinde des Reichsverbandes der Schwedischen Bienenzüchter abwarf.

Niemand hatte so gute Kartoffeln wie er.

Von seiner Zeit als Vorarbeiter im Sägewerk war ihm noch das Telefon geblieben. Es stand sehr ordentlich in seiner guten Stube auf einer kleinen Häkeldecke auf einem Tischchen aus Mahagoni, das ursprünglich wohl für eine Topfblume gedacht war. Weiß der Himmel, wozu er es brauchte. Wir benutzten es bei ganz seltenen Anlässen, wenn irgendetwas besonders Wichtiges und Eiliges zu erledigen war. Zum Beispiel das ewige Elend, wenn ich einen dieser teuflischen Zahnwehanfälle in meinen morschen Milchzähnen bekam, was jeden Sommer ein- oder zweimal zu geschehen pflegte, und man telefonisch beim Zahnarzt in Västerås einen Termin bestellen musste. Heulen und Zähneklappern, Jammern und Klagen auf der Hinfahrt im Bus, eine Tüte Bonbons zum Trost und vielleicht ein Buch und eine noch schlimmere Höllenpein auf der Rückfahrt, wo es noch ärger wehtat und man dasitzen musste, als ob gar nichts sei, weil man schon so alt war, dass es sich nicht gehörte, einfach loszuheulen.

Wenn Tante Clara bei uns war, kam jeden oder jeden zweiten Tag ein Anruf. Isaksson, der ehemalige Sägewerksvorarbeiter, erschien mit langen, hängenden Armen und einer unsäglichen Melancholie im Blick und sagte:

»Da ist wieder ein Anruf für das Fräulein.«

Und sie strahlte und lief tänzelnd Isakssons Gartenweg hinunter.

Sie redete, so lange sie wollte. Tante Clara hatte keinen besonderen Respekt vor Telefonen. Sie war selbst Telefonistin, das vergaß ich zu erzählen. Und zwar nicht einfach irgendwo. Sie war Telefonistin in der Schwedischen Reichsbank, wo ihre tiefe Altstimme wirklich zur Geltung kam. Das tiefrote Gold ihrer Stimme, wenn sie sich gleich bleibend unpersönlich mit »Sveriges Riksbank« meldete, war ein Abglanz des geheimnisvollen und etwas beängstigenden Goldes, das in unendlichen Mengen in den unterirdischen Kammern lagerte, als Garantie für den schwedischen Geldwert, den Dritten Verteidigungskredit und die staatlichen Prämienanleihen des Jahres 1945.

Europa lag in Trümmern. Die Armeen von Marschall Schukow und Marschall Montgomery hatten sich siegreich vom Kaukasus bis zum S-Bahnhof Bornholmer Straße, vom Monte Cassino bis zur Akazienstraße durchgeschlagen, die Berliner liefen lustlos herum, räumten ihre Steinhaufen auf und aßen ihre Kartoffelsuppe, der Marshallplan nahm in Washington schon Gestalt an und hin und wieder war noch Franklin D. Roosevelts sonore Stimme im Radio zu hören. Per Albin Hansson spielte mit dem Gedanken, die Koalition mit den bürgerlichen Parteien fortzusetzen, da es jetzt in der Nachkriegszeit keine wirklichen Probleme mit den Parteien mehr gab, die befreiten Brudervölker hatten ihren Jubelsommer gehabt, und über seinem großen, spartanisch einfachen Mahagonischreibtisch im Kreml zündete sich Generalissimus Josef Stalin die achtzehnte kurze, breite Dunhillpfeife dieses Tages an, gestopft mit feinem kaukasischem Tabak, und blätterte mit kurzen, derben Fingern in einem Bericht über Probleme mit Güterwagen und Lokomotiven an der Dritten Weißrussischen Front.

Über dem Stillen Ozean summten noch immer die Kamikazeflieger, die armen Teufel, mit ihren weißen Binden und wussten, dass kein Mensch es je wagen würde, anders als respektvoll von ihnen zu reden, denn so beschissen ist ja nun mal das Leben, dass man sich durch nichts anderes Respekt verschafft als dadurch, auf alles zu pfeifen, und die Bomben, die über Hiroshima und Nagasaki abgeworfen werden sollten, existierten schon als Teile in den Fabriken, und die Geschichte war überhaupt viel zu groß für die Menschen.

»Was wird der Russe jetzt nur machen?«, sagte der alte Lindvall, der seine Fliederbüsche an der Straße nach Kyrkbyn goss.

Er sprach stets vom Russen und vom Deutschen, als sei es jeweils ein einziger Mensch, der eine mit schwarzem Bart, der andere mit schwarzem Schnurrbart, boshaft grinsendem Mund und einem Leutnantsmonokel im Auge.

Die Leute waren stumm vor Staunen über alles, was die Welt sich einfallen ließ, damit der Kommentator Sven Jerring im Radio davon berichten konnte, und mit der Zeit scherten sie sich einen Dreck darum. Sie züchteten lieber Kohl und sahen nach den Johannisbeerbüschen.

August 1945. Ich glaube, noch nie sind Kohlrüben, Johannisbeeren und Rhabarber in Västmanland so gut gediehen wie in diesem Jahr. Der Malermeister Nisse Eklund aus Seglingsberg (er brachte mich übrigens dazu, Sciencefiction-Romane zu lesen, er hatte ganze Stöße mit Heften des *Äventyrsmagasinet* auf dem Speicher) sagte, es müsse irgendwas mit dem Krieg zu tun haben, ein subtiles biologisches Gleichgewicht sei gestört worden und müsse nun wiederhergestellt werden, und weiß der Teufel, ob er nicht Recht hatte.

Anfang August, noch bevor die Atombomben gefallen waren, kam Tante Clara zu ihrem letzten Sommerbesuch nach Västmanland. Das heißt, damals wussten wir nicht, dass es der letzte sein würde.

Sie war ein wenig hektisch. Die Anrufe kamen etwas öfter als gewöhnlich, und sie dauerten etwas länger als gewöhnlich.

Dann entdeckten wir allmählich, dass irgendetwas Merkwürdiges im Gange war.

Sie kam nach einigen dieser Anrufe so verweint zurück, dass der ehemalige Sägewerksvorarbeiter Isaksson ihr sogar seine geblümten Schnupftücher zu leihen begann. Und dabei war er nicht gerade ein Gefühlsmensch.

Sie kam zurück, klein und am ganzen Körper vor Wut und Trauer zitternd, schlug mit der Faust auf den Tisch, lief in ihr Zimmer und warf sich aufs Sofa oder rannte zur Brücke hinunter, saß dort klein und zusammengekauert und starrte stundenlang in den Sonnenuntergang, so dass wir wirklich nicht wussten, was wir mit ihr anfangen sollten.

Ganz offensichtlich war irgendwas schief gegangen.

Tante Clara hatte ein trauriges Geheimnis. Die Familie war sich nie ganz sicher, ob sie es als etwas betrachten sollte, worauf man stolz ist, oder als etwas, wofür man sich schämt.

Mein Gott, nach all diesen Jahren weiß ich kaum mehr, wie es sich genau verhielt; so kann es gehen, wenn man ein Geheimnis allzu lange hütet! Es ist schon so, wie August Strindberg sagt: Man soll keine Geheimnisse haben. Und auch die anderen nicht, was das betrifft.

Wie ich schon erzählt habe, war sie Telefonistin in

der Reichsbank, und an einem so bedeutenden Ort, so hoch erhaben über die alltägliche Welt, konnte es ja nicht ausbleiben, dass sie mit der Art von Leuten in Kontakt kam, die so bedeutend, so hoch gestellt waren, dass sie für uns fast nur als etwas existierten, von dem das *Echo des Tages* berichtete.

Eine solche wirklich hoch gestellte Persönlichkeit musste ein Auge auf Tante Clara geworfen haben.

Das Ganze war, wie ich schon sagte, sehr geheimnisvoll, sehr mystisch und man sprach nur im Flüsterton davon.

Vielleicht war es der Vorsitzende des Reichsbankdirektoriums? Oder der Präsident des Revisionsprüfungsgerichts? Ich weiß, dass ich es gewusst habe, aber ich kann mich um alles in der Welt nicht daran erinnern.

Ich weiß nur noch, dass es jemand war, der jederzeit zum Mitglied der neuen Regierung berufen werden konnte, die jetzt zu erwarten war, nachdem die Koalitionsregierung das Ihre getan hatte; eine sehr hoch gestellte Persönlichkeit.

Tante Clara war also auf dem besten Weg, Ministergattin zu werden.

Es fehlten nur noch ein paar kleine Formalitäten, z. B. dass diese wirklich hochgestellte Persönlichkeit sich endlich zur Scheidung entschloss, und das war offenbar gar nicht so einfach. Es ist nicht so einfach, sich in den höchsten Kreisen scheiden zu lassen; man muss den richtigen Augenblick abwarten, damit man sich nicht die Karriere verbaut.

Sich scheiden zu lassen, wenn es gerade um eine Regierungsbildung geht und man selbst als Nachfolger von Finanzminister Wigforss oder Sozialminister Möller vorgesehen ist, das ist natürlich nicht gut möglich. Das muss schließlich jedem einleuchten.

Bestimmt war das der Grund für Tante Claras Traurigkeit.

In der Gegend von Ramnäs gab es damals einen sehr sonderbaren alten Lumpensammler, weiß der Himmel, wie er wirklich hieß, denn ich glaube, es war zuerst im Scherz, dass alle ihn Gottwold nannten.

Ich hatte damals den Eindruck, dass Gottwold sehr alt sein müsse, ungefähr um die siebzig, aber möglicherweise war er ein wenig jünger.

Er war ein ziemlich kräftiger Mann und völlig blind. Vor seinen blinden Augen trug er eine uralte, blaugrüne Brille mit Stahlfassung, und vom Kinn hing ihm ein unbeschreiblich langer, grauschwarzer Bart herab, klebrig von schlecht verwerteten Eiresten und aus dem Mundwinkel triefendem Kautabak und Gott weiß was allem. Ich glaube, dass er bei einer Sprengung erblindet war – er hatte, irgendwann in seiner Jugend, im Hüttenwerk von Ramnäs gearbeitet.

Jetzt zog er auf den Landstraßen umher, blind und tastend, und ständig lief ein mit Kautabak vermischter Speichelfaden aus seinem Bart. Hinter sich her zog Gottwold stets eine Karre, die aussah wie ein kleiner Heuwagen, beladen mit seinen Sachen, Schrott, den er sammelte und wieder verkaufte, leeren alten Flaschen, Fahrradspeichen, weggeworfenen Thermosflaschen, seinem unbeschreiblich durchlöcherten und zerrissenen Regenmantel, einem Regenschirm, einem dicken, in Gummituch gehüllten Paket, in das niemand je einen Blick werfen durfte.

Gottwold war gut zu Kindern. Wenn er den Weg entlangkam, auf eine eigentümliche Art schwankend und vor sich hin summend und brummend, und hinter ihm der Wagen im Kies knirschte, während er mit seinem weißen Stock nach dem Grasbuckel in der Mitte des Weges tastete (er mied die großen Landstraßen), kamen die Kinder in Scharen angelaufen. Aber niemand kam auf die Idee, ihn zu ärgern.

Wir pflegten in seinem Wagen zu sitzen und mit all den sonderbaren Sachen herumzuspielen, die es dort gab, mit allem außer dem geheimnisvollen Paket im Gummituch, wir durften ihn am Bart zupfen und an den langen, strähnigen weißen Haaren und die alte Zinnuhr mit den eigentümlichen Figuren angucken – statt der Zahlen war eine Reihe von Tieren auf dem Zifferblatt: ein Krebs, ein Stier, ein komischer Mann, der Wasser trug, ein Ochse mit gebogenen Hörnern – die er unter dem alten braunen Wollpullover mit den weißen Stopfstellen hervorzog.

Und dann die Puppen. Zu den Waren, die er in den Höfen verkaufte, gehörten lustige kleine Stoffpuppen, richtige kleine Puppenfräuleins, die er aus Sackleinwand, alten wollenen Strümpfen und Lumpen zu sonderbar naturgetreuen kleinen Frauengestalten zusammennähte.

Sie pflegten immer ganz hinten in dem kleinen Heuwagen zu sitzen und ihre Arme rührend über den Rand baumeln zu lassen, wenn er ihn über den Schotter zog.

Er verkaufte sie an die Kinder in den Höfen, wo er ab und zu einen Schluck Kaffee in der Küche bekam, wenn die Leute sich nicht zu sehr vor seinem Geruch ekelten, der ihn wie die Aura eines Heiligen umgab.

Die Nase war groß, mit einer starken Krümmung in der Mitte, fast einem Buckel, die Oberlippe dagegen überraschend sensibel.

Wenn man ihn sah, dachte man sofort: Dies ist das zerstörte Kellergeschoss von etwas anderem, einem anderen Menschen als dem, der er geworden ist.

Ohne diese Sprengung wäre vielleicht etwas Besonderes aus ihm geworden.

Und man könnte ja sagen, dass er ohnehin etwas Besonderes war.

Meine Mutter pflegte ihm immer Kuchen und Saft auf der Treppe zu servieren, wenn er mit seinem Karren vorbeikam, ungefähr einmal in jedem Sommer. Und all unsere leeren Flaschen durfte er mitnehmen.

Der Sommer erschien uns nicht vollkommen, bevor er nicht da gewesen war.

In diesem Jahr, 1945 also, dauerte es lange, bis er kam, bis Mitte August.

Es war ausgerechnet der Tag, an dem Tante Clara den letzten Anruf von dem künftigen Minister bekam.

Das Gespräch war katastrophal und sehr ausgiebig. Ich glaube, sie telefonierte so lange, dass der ehemalige Sägewerksvorarbeiter Isaksson vier Bienenstöcke leeren und säubern konnte, bevor das Gespräch beendet war, und es nahm wirklich ein Ende mit Schrecken, denn Tante Clara legte den Hörer mit einem solchen Knall auf, dass die Metallgabeln dem Stoß mit knapper Not standhielten, und rannte hinaus, ganz rot vor Wut und Tränen.

Der künftige Minister hatte sich nämlich endlich entschlossen, auf das politische Risiko zu pfeifen, die Gefühle zu ihrem Recht kommen zu lassen und sich neu zu verheiraten, allerdings nicht mit Tante Clara.

Es war einer von diesen trübwarmen Sommertagen, wenn es die ganze Nacht geregnet hat und die Sonne gerade dabei ist, die Wolkendecke zu durchbrechen. Die Johannisbeeren hingen dicht in den Büschen in Isakssons Garten. Vereinzelte Krähen hüpften zaghaft um die fantasievoll konstruierten Vogelscheuchen herum.

Ein Zug fuhr unten auf der Eisenbahnlinie vorbei, mit einer endlosen Reihe von klappernden leeren Erzkippern, und Tante Clara fragte zwischen den Schluchzern, warum denn um Gottes willen so viele Güterwagen unterwegs seien.

Ein Hühnerhabicht segelte auf den Luftströmungen über dem großen Wald jenseits des Sees dahin. Ein Baum zitterte in einem fast unmerklichen Wind und schüttelte schwere Tropfen auf Tante Claras runde, schmale, sehr weibliche Schultern.

Die Hände vors Gesicht geschlagen und ganz allein auf der weiten Welt, ging sie den Weg entlang und weinte offen und verzweifelt vor aller Augen.

Der blinde Landstreicher Gottwold hatte inzwischen seinen Wagen in unseren Hof gezogen, ihn ordentlich hinter dem Zaun geparkt und saß jetzt auf unserer Veranda, trank Kaffee, dass ihm der Kaffee nur so in den Bart sickerte, und aß von den besten Napoleonsplätzchen meiner Mutter. Die großen, blauen Gläser seiner Blindenbrille leuchteten leer ins Zimmer hinein und er unterhielt sich ziemlich einsilbig mit ihr, über Wind und Wetter, Kreuzwege und Kahlschläge.

Das ging so zu, dass meine Mutter, klein, rundlich und freundlich in ihrem weißen Kattunkleid mit blauen Punkten, einen Monolog hielt, den Gottwold hin und wieder unterbrach mit einem

»Ja, so ist das eben«,
und dieses
»Ja, so ist das eben«
kam mit einer so schrecklichen Monotonie, dass
man wirklich mit gutem Grund annehmen konnte, er
mache sich überhaupt keine Gedanken darüber, was er
sagte.

Und das wäre ganz schön dumm von ihm gewesen,
denn die Monologe meiner Mutter können wirklich
verdammt unterhaltsam sein, wenn man genau darauf
hört, was sie sagt.

Den einen Schuh hatte er so ungeschickt an den
Elektroofen auf der Veranda gelehnt, dass es stark
nach verbranntem Leder roch, aber das schien er überhaupt nicht zu bemerken.

Ich, der ich abwartend dabeistand, dem eintönigen
Gespräch zuhörte und mich an seine Seite zu manöv-
rieren versuchte, um hinter diese blaue Brille zu schie-
len und zu sehen, wie es dahinter aussah,

(Waren die Augen noch da?)

entdeckte es als Erster und es dauerte lange, bis ich
ihm klarmachen konnte, was sich da abspielte.

Er zog den Schuh, der stark verbrannt war, mit einer
Miene zurück, als gehöre er gar nicht zu ihm.

In diesem Augenblick kam Tante Clara zur Tür herein, klein und zitternd und ganz weiß im Gesicht.
Draußen lärmten die Krähen in den Beeten. Gottwold
blickte einen Moment auf, ja, er *blickte* tatsächlich auf,
und richtete kurz seine leeren, blaugrünen Brillenglä-
ser auf Tante Clara.

Er glich ein wenig einem großen, zottigen Tier, das
plötzlich auf eine Fährte gestoßen ist. Er bewegte seinen schweren Kopf witternd hin und her.

Und nun geschah das Unglaubliche: Tante Clara stürzte auf ihn zu, fast als wäre der verlauste, blinde Landstreicher ihr Vater, barg ihr weinendes Gesicht irgendwo an seiner schrecklichen Jacke, verschwand mit ihren sanften, zitternden Schultern irgendwo in seinem langen Bart.

Staunend und unseren Augen nicht trauend standen wir da und sahen Gottwolds große, etwas bläulich rote Hand Claras schmalen, kleinen Kopf mit dem feinen braunen Haar streicheln, nur väterlich streicheln, immer wieder, nur streicheln ...

Meine Mutter und ich, wir begriffen beide, dass sich vor unseren Augen etwas Wunderbares, etwas Schreckliches und Wunderbares ereignete, und wir brachten kein Wort über die Lippen.

Das war Mitte August. Gegen Nachmittag. Ja, wenn ich genau darüber nachdenke, brach gerade in diesem Moment die Sonne hervor. Sie ließ die Spuren des Regens verdunsten.

Clara folgte Gottwold noch an diesem Nachmittag. Sie ließ den größten Teil ihres Gepäcks zurück, denn auf Gottwolds Karren war ja nicht viel Platz.

Meine Mutter und ich konnten nicht viel dazu tun. Wir standen am Zaun, beide tief ergriffen, und sahen sie hinter der Wegbiegung verschwinden, Hand in Hand. Der Karren klapperte und schlitterte im losen Schotter der Kurve.

»Willst du nicht wenigstens die Zahnbürste mitnehmen«, rief meine Mutter, mit einer berechtigten Verzweiflung in der Stimme.

»Nein danke«, rief Tante Clara zurück. »Die brauche ich nicht.«

Ich glaube, das war das erste Mal in meinem Leben, dass ich ein Beispiel dafür sah, wie grenzenlos die Freiheit eines Menschen sein kann, wenn man nur daran glaubt, und das hat mich viel gelehrt.

Mein Vater wurde, um die Wahrheit zu sagen, ziemlich wütend, als er gegen Abend nach Hause kam. Er war in Västerås gewesen, um dringende Geschäfte zu erledigen.

»Um Gottes willen, du musst sofort zu Isaksson laufen und den Ortspolizisten anrufen«, sagte mein Vater, blaurot im Gesicht. Er neigt dazu, manche Dinge ernst zu nehmen, und das habe ich leider von ihm geerbt. (Wäre ich nur nach meiner Mutter geraten, dann wäre ich ein viel amüsanterer Schriftsteller geworden.)

Es war meiner Mutter überhaupt nicht eingefallen, dass man natürlich den Ortspolizisten anrufen sollte.

»Du musst ihm eine genaue Personenbeschreibung geben. Von allen beiden«, sagte mein Vater.

»Aber …«

»Kein aber, wer weiß, was da passieren kann.«

»Aber es ist doch kein Verbrechen geschehen«, sagte meine Mutter ruhig.

Er versank fast eine Stunde lang in eine tiefe metaphysische Grübelei, bevor er erkannte, dass weder Gottwold noch Tante Clara etwas getan hatten, das ein größeres Polizeiaufgebot mit Spürhunden und Streifenwagen rechtfertigen würde. Der Liebe zwischen erwachsenen Personen von offensichtlich verschiedenem Geschlecht legten auch in den vierziger Jahren die Gesetze keine Hindernisse in den Weg.

Und daran taten sie natürlich gut.

Sie waren in Surahammar gesehen worden. Etwa einen Monat darauf kursierten Gerüchte, sie hätten in einer Scheune in Söderbärke übernachtet. Sie wurden zu einer Legende, die in aller Munde war. Sie tauchten überall auf, grenzenlos glücklich, grenzenlos verliebt, Clara führte den Blinden durch den Herbstregen, über die schlammigen Wege, und sie übernachteten unter Bahnüberführungen und in den Scheunen. Überall wurden sie mit einer eigentümlichen Ehrfurcht aufgenommen, mit dieser tiefen Ehrfurcht, die nur totale, die vollkommene Liebe in den Menschen wecken kann. Ohne zu übertreiben könnte man sagen, dass sie ein Licht über die ganze herbstliche Gegend warfen.

Leider waren Tante Claras Lungen ziemlich anfällig. Sie vertrug es nicht, im Winter unter Bahnüberführungen und in feuchten Scheunen zu schlafen. Sie erkrankte während der Schneeschmelze im März an Lungenentzündung und starb in der Kammer eines freundlichen Bauern in Haraker. Gottwold saß bis zuletzt bei ihr, er fing ihren letzten Blick in seinen blauen, unergründlichen Brillengläsern auf.

Ich glaube, sie ist vollkommen glücklich gestorben.

Und sie wurde zu einer Legende, die man sich noch heute an den Kaminfeuern in Västmanland erzählt, spät an den Winterabenden, wenn die letzten Fernsehprogramme des Tages zu Ende sind.

Das Märchen von Clara und Gottwold. Und Clara, das war wirklich meine Tante!

Gottwold überlebte sie um mehrere Jahrzehnte. Er starb in der Krankenstation des Altersheims von Nibble (die Gemeinde Hallstahammar konnte als einzige dazu gebracht werden, ihn aufzunehmen, weil er ein unleserliches Dokument bei sich trug, das beweisen sollte, dass er aus der Gemeinde Berg stammte, die jetzt zur Großgemeinde Hallstahammar gehört), am selben Tag, an dem Präsident Kennedy ermordet wurde. Meine Großmutter Tekla, die im Laufe der Zeit, nach einem weiteren Jahrzehnt, in demselben Altersheim ihren hundertsten Geburtstag feiern sollte, kannte ihn sehr gut und pflegte ihm hin und wieder eine Tüte mit Süßigkeiten zuzustecken, wenn er sabbernd im Aufenthaltsraum der Krankenstation saß.

»Gottwold ist ein so lieber und feiner Mensch. Weißt du, er ist wirklich ein bemerkenswerter Mann, ein bemerkenswerter junger Mann«, pflegte Großmutter Tekla zu sagen und mich dabei mit ihren uralten weisen Augen anzublicken, die seit den Tagen der Pariser Kommune das Tageslicht gesehen hatten und die nichts mehr erstaunen konnte.

Ich glaube, Tekla wusste so manches über seine Rolle in der Familiengeschichte, denn sie zwinkerte ein wenig dabei.

»Ein so feiner junger Mann und so früh gestorben«, sagte sie bei einem Telefongespräch an jenem Morgen, an dem Präsident Kennedy ermordet wurde, und klang dabei richtig empört.

»Präsident Kennedy?«

»Wie bitte?«

»Der amerikanische Präsident?«

»Was ist mit ihm?«

»Ich dachte, du hättest von ihm gesprochen?«

»Ich rede von Gottwold, dem Blinden. Er ist tot.«

Und das Paket im Gummituch? Das so sorgfältig eingeschlagene? Frau Bergkloo, die Leiterin des Altersheims, ging seine gesamte Habe durch. Es zeigte sich, dass das Paket zwei umfangreiche Manuskripte enthielt, auf Papier von sehr unterschiedlichen Qualitäten und Formaten niedergeschrieben. Sie umfassten beide etwa tausend Seiten, und offensichtlich handelte es sich um Romane.

Durch einen glücklichen Zufall bekam Frau Bergkloo an demselben Tag, an dem sie sie durchgesehen hatte und sie in den Heizkessel des Altersheims werfen wollte, Besuch von einem jungen Mann aus Västerås. Sein Name war Dr. Björn B. Håkansson, er war übrigens der jüngere Bruder des großen Dichters, und kam im Auftrag des Landesantiquars Sven Ohlsson aus Västerås, als ein Glied in der großen västmanländischen Archivinventur jenes Jahres.

Frau Bergkloo kam auf die Idee, dass Gottwolds Manuskripte vielleicht etwas für ihn sein könnten, und er nahm sie unschlüssig in seinem Volkswagen mit.

Die beiden Manuskripte Gottwolds des Blinden werden im Landesarchiv von Västerås aufbewahrt, unter der Signatur GHG (Hallstahammar und Umgebung, Volkskunde), 23467992 A bzw. 23467992 B. Ich habe die beiden umfangreichen Manuskripte gelesen. Mühsam, denn das Papier besteht zum Teil aus zerknitterten alten Tüten. Und der Speichelfaden mit dem Schnupftabak hat seine Spuren darauf hinterlassen.

Es handelt sich um zwei Romane. Und sie sind etwas ganz Besonderes.

Der eine handelt von der Belagerung und der endgültigen Eroberung einer Stadt.

Das alles sehr lebendig, farbenfroh, reich an lebensnaher Fantasie. Ein Meisterwerk.

Der zweite, der eine Art Fortsetzungsroman darstellt

und zumindest in seinen letzten Teilen wahrscheinlich während des glücklichen Herbstes und Winters mit Clara entstanden ist, handelt von einem der Helden dieser Belagerung, der auf einer langen Seereise heimwärts in immer neue Abenteuer und Bedrängnisse gerät. Auch dies ein Meisterwerk. Ungeheuer lebendig, mit enormen philosophischen und allegorischen Exkursen.

Zuletzt landet der Held in seinem Heimatort, den er ohne jede Hoffnung auf ein Wiedersehen verlassen hatte.

Das Haus seiner Gattin ist von Freiern belagert. Er besiegt sie alle durch List und ungeheure Kraft. Am Ende sind sie wieder vereint.

Der Name der Gattin ist Clara.

Ich glaube nicht, dass Tante Clara etwas von der Existenz dieser Romane geahnt hat.

Cathleen Schine

Ipsy Pipsy

Ipsy Pipsy wohnte in einer kleinen Stadt. Seine Schwester wohnte in einer kleineren Stadt.

Wenn Ipsy Pipsy zum Haus seiner Schwester ging – die lange, schlängelige Straße lang, die von der kleinen Stadt zur kleineren Stadt führte –, dann brauchte er einen halben Tag, um dahin zu kommen. Was für ein Marsch!

Wenn Ipsy Pipsy durch die Hintertür hinausgegangen wäre, am Rosenbusch vorbei und über den weißen Zaun, dann wäre er am Haus seiner Schwester – und in der nächsten Stadt – gewesen: einfach so!

Aber Ipsy Pipsy nahm lieber die Vordertür.

Eines Tages machte sich Ipsy Pipsy durch die Vordertür auf, seine Schwester zu besuchen. Es war ein so langer Weg, die schlängelige Straße lang, dass er früh am Morgen aufbrach, und er nahm ein Mittagessen mit, eingeschlagen in eine große, rote Serviette.

Die Sonne schien und der Tag war noch neu und frisch und kühl und Ipsy Pipsy wanderte mit leichtem Schritt.

Bald kam er bei Jasper Yankel vorbei, dem Stadtbarbier, der müßig unter seiner rot-weiß-blau gestreiften Barbierstange herumstand.

»Ipsy Pipsy«, sagte Jasper Yankel. »Wo soll's denn hingehen, an so einem wunderschönen Tag?«

»Ich gehe meine Schwester besuchen«, sagte Ipsy Pipsy. »Um ihr ein Geheimnis zu verraten.«

»Ein Geheimnis!«, rief Jasper Yankel aus. »Ich liebe Geheimnisse!« Und er wartete gespannt.

»Jasper Yankel«, sagte Ipsy Pipsy. »Ein Geheimnis ist ein Geheimnis.«

»Ein Geheimnis *ist* ein Geheimnis«, sagte Jasper Yankel. Und er wartete weiter und klopfte mit dem Fuß.

»Also«, sagte Ipsy Pipsy.

»Also«, sagte Jasper Yankel, »habe ich *dir* vielleicht jemals ein Geheimnis verraten?«

»Nein«, sagte Ipsy Pipsy.

»Ich kann ein Geheimnis *für mich behalten*«, sagte Jasper Yankel. »Also kannst *du* ein Geheimnis *verraten!* Nämlich mir.«

Da dachte sich Ipsy Pipsy, dass es so früh am Morgen war, dass er gut Zeit für eine Rasur hätte: Also setzte er sich in den Barbiersessel und verriet Jasper Yankel das Geheimnis, ließ sich noch um die Ohren herum die Haare ein bisschen stutzen und zog dann weiter.

»Aber du darfst es niemandem verraten!«, rief er zu Jasper Yankel zurück.

»Nein!«, sagte Jasper Yankel. »Dann wär's ja kein Geheimnis mehr.«

Als Ipsy Pipsy die schlängelige Straße langging, stieg die Sonne höher und der Tag wirkte schon weniger neu und frisch und kühl. Ipsy Pipsys Schritt wurde schwerer. Bald hielt er an einem Bach, um etwas zu trinken und sich auszuruhen. Und dort traf er Tante Mishbuka, die älteste und hässlichste und herrschsüchtigste Frau in der ganzen Stadt, beim Blaubeerenpflücken.

»Aha! Ipsy Pipsy! Früh auf den Beinen, an so einem schönen Morgen. Ich, ich schlafe sowieso nie, wälz mich und dreh mich, dreh mich und wälz mich nur die ganze Nacht lang. Aber du? Stapfst herum, verstaubt und erhitzt, und eine Biene könnt dich auch noch stechen! Pass nur auf, Ipsy Pipsy, dass du auf dieser schlängeligen Straße nicht den rechten Weg verlierst. Oder den Schuh! Oder den Verstand! Bei dieser Hitze! Warum bist du nicht zu Haus, Ipsy Pipsy? Zu Haus an deinem Frühstückstisch und liest deine Zeitung? Aber nicht zu lange, das ist schlecht für die Augen, und der Kaffee erst! Was *der* dem Magen antut ...«

»Ich gehe meine Schwester besuchen«, unterbrach Ipsy Pipsy. »Um ihr ein Geheimnis zu verraten.«

»Ein Geheimnis!«, flüsterte die alte Tante Mishbuka und machte ihre schon schmalen tränenden Augen *noch* schmaler. »Ich liebe Geheimnisse!«

Und sie stand da und aß Blaubeeren aus ihrem Korb und wartete gespannt.

»Tante Mishbuka«, sagte Ipsy Pipsy. »Ein Geheimnis ist ein Geheimnis.«

»Das sage ich mir auch immer«, zischte Tante Mishbuka und klopfte Ipsy Pipsy mit einem langen leuchtend blaubeerblauen Finger auf die Brust. »Und sag *du* mir, Ipsy Pipsy: Habe ich dir jemals ein Geheimnis verraten?«

»Nein«, sagte Ipsy Pipsy.

»Also!«, sagte Tante Mishbuka.

Und Ipsy Pipsy verriet ihr das Geheimnis.

»Aber du darfst es niemandem verraten«, ermahnte er sie.

»Nein!«, sagte Tante Mishbuka. »Dann wär's ja kein Geheimnis mehr.«

Nachdem Ipsy Pipsy aus dem Bach getrunken, selbst ein paar Blaubeeren gepflückt und Tante Mishbuka versichert hatte, dass er im Schatten laufen und auf die andere Straßenseite gehen und wegschauen würde, sollte er auf eine Bande von Straßenräubern stoßen, setzte er seinen Weg fort.

»Hmmpf!«, sagte Tante Mishbuka, als er ihr zum Abschied winkte. »Immer diese Hetze!«

Inzwischen brannte die Sonne direkt von oben herunter: Die Luft war heiß und abgestanden und der Staub der schlängeligen Straße wirbelte unter seinen Schuhen auf. Als er so die Straße langging, die von seiner kleinen Stadt zur kleineren Stadt führte, wo seine Schwester wohnte, zog Ipsy Pipsy eine richtige Wolke hinter sich her. Er ging und ging, bis er schließlich fand, dass jetzt Mittagessenszeit sein und die hohe Kiefer dort am Straßenrand genau der Baum sein musste, unter dem man zur Mittagszeit Rast machen und sein Mittagessen essen sollte.

Im dunklen Schatten des Baums, an den dicken Stamm gelehnt, breitete er sein Mittagessen aus. Es gab ein belegtes Brot – ein ziemlich großes mit zweierlei Sorten Salami; es gab drei saure Gurken; es gab einen Pfirsich, der süß und reif duftete; und es gab natürlich einen Krapfen mit Marmelade drin. Als Ipsy Pipsy das belegte Brot, die drei sauren Gurken, den süßen reifen Pfirsich und den Marmeladenkrapfen gegessen hatte, war er auf einmal ein bisschen müde. Er lehnte den Kopf gegen die raue Borke und war schon bald eingeschlafen.

Plötzlich schreckte er hoch! Etwas Nasses, Kratziges schien an seiner Wange zu reiben. War das ein Traum? Aber als er die Augen aufschlug, sah er, dass das nasse kratzige Ding eine Kuhzunge war, die an einer großen Kuh befestigt war. Es war kein Traum.

Neben der Kuh stand Kid Chotchke, der rotwangige Kuhjunge, und lachte aus vollem Hals.

»Ha ha ha«, lachte Kid Chotchke. »Ach, Ipsy Pipsy! Wie komisch du ausgesehen hast! Ha ha ha!«

Ipsy Pipsy scheuchte die Kuh fort, wischte sich mit der roten Serviette das Gesicht ab und stand auf.

»Na! Sieh mich nicht so an«, sagte Kid Chotchke. »*Ich* habe dir das Gesicht nicht abgeschleckt.« Dann lachte er wieder, bis seine roten Wangen violett wurden und er keine Luft mehr bekam und Ipsy Pipsy ihm auf den Rücken klopfen musste, damit er wieder atmen konnte.

»Also, Ipsy Pipsy«, sagte Kid Chotchke. »Wo geht's denn hin, an so einem heißen Tag, so weit von zu Haus?«

»Ich gehe zu meiner Schwester«, sagte Ipsy Pipsy. »Um ihr ein Geheimnis zu verraten.«

»Oh! Ein Geheimnis!«, sagte der Junge. »Ich liebe Geheimnisse! Sogar noch mehr als Kühe!«

Und da Ipsy Pipsy sich nicht erinnern konnte, dass Kid Chotchke ihm jemals ein Geheimnis verraten hätte, verriet er Kid Chotchke sein Geheimnis.

»Aber vergiss nicht, Kid Chotchke«, sagte Ipsy Pipsy. »Du darfst es niemandem verraten.«

»O nein«, sagte Kid Chotchke. »Dann wär's ja kein Geheimnis mehr.«

Und Ipsy Pipsy setzte seinen Weg fort, die schlängelige Straße lang. Nach einer Weile erreichte er die kleinere Stadt, wo seine Schwester wohnte, und dann, ein Weilchen später, erreichte er auch ihr Haus.

»Oh, Ipsy Pipsy!«, rief seine Schwester, als sie ihn,

ganz mit Staub bedeckt, dastehen sah. »Du siehst so müde und durstig und hungrig aus!« Und sie band sich eine gestärkte weiße Schürze um und setzte ihm ein leckeres Abendessen vor – Graupensuppe und Brathähnchen und gebackene Kartoffeln und Möhrchen und grüne Bohnen und Pflaumenkuchen und Kaffee mit Zucker und Sahne –, und dann sagte sie:

»Nun, Ipsy Pipsy, was führt dich den ganzen langen Weg hierher zu mir, deiner Schwester?«

»Ich bin gekommen, um dir ein Geheimnis zu verraten«, sagte Ipsy Pipsy.

»Oh! Ein Geheimnis! Ich liebe Geheimnisse«, sagte seine Schwester. »Was ist das für ein Geheimnis?«

»Ich hab's vergessen«, sagte Ipsy Pipsy.

Und die ganze Nacht lang wälzte sich Ipsy Pipsy auf dem weichen Sofa seiner Schwester hin und her und versuchte sich an das Geheimnis zu erinnern. Nachdem er sich hin und her gewälzt hatte, wälzte er sich her und hin, und in dieser Nacht schlief sogar die alte Tante Mishbuka besser als der arme Ipsy Pipsy.

Am nächsten Morgen sagte er: »Keine Sorge, Schwester. Auf dem Weg hierher habe ich Kid Chotchke, dem Kuhjungen, und der alten Tante Mishbuka und dem Barbier Jasper Yankel das Geheimnis verraten.«

»Hmmpf!«, sagte seine Schwester. »Schönes Geheimnis!«

»Einer von ihnen wird es mir sagen«, sagte Ipsy Pipsy vergnügt und machte sich mit leichtem Schritt auf den Weg, die schlängelige Straße lang, die von der kleineren Stadt, wo seine Schwester wohnte, zur kleinen Stadt führte, wo er wohnte.

Die Sonne stand noch nicht sehr hoch am Himmel,

als Ipsy Pipsy den rotwangigen Kid Chotchke seine Kühe mit einer Gerte über die Straße treiben sah.

»Kid Chotchke!«, rief er. »Sag mir bitte eins. Was ist das Geheimnis, das ich dir gestern verraten habe?«

»Ipsy Pipsy!«, sagte Kid Chotchke. »Ich kann dir das Geheimnis nicht verraten.«

»Aber warum nicht?«, fragte Ipsy Pipsy.

»Weil's ein Geheimnis ist!«, sagte Kid Chotchke.

Also ging Ipsy Pipsy weiter die schlängelige Straße lang. Nach einer Weile, als die Sonne ein ganzes Stück höher gestiegen war und der Staub unter seinen Füßen aufwirbelte und der Tag so heiß geworden war, dass Ipsy Pipsy stehen bleiben musste, um sich mit einem Taschentuch (einem Geschenk seiner Schwester, mit seinen eingestickten Initialen) die Stirn abzuwischen, sah er Tante Mishbuka, das herrschsüchtige alte Weib, mit purpurroten Händen an einem Zaun stehen und Heidelbeeren pflücken.

Als sie ihn sah, streckte sie ihm einen roten Finger entgegen und sagte: »Die Blaubeeren sind alle weg«, als ob das seine Schuld wäre, als ob *er* alle Blaubeeren gepflückt hätte, wo er doch in Wirklichkeit nur sechs oder vielleicht sieben gepflückt hatte.

»Tante Mishbuka«, sagte Ipsy Pipsy, dem Beeren in dem Moment ganz gleichgültig waren. »Sag mir doch bitte, was ist das Geheimnis, das ich dir gestern verraten habe?«

»Ipsy Pipsy!«, rief Tante Mishbuka aus und warf die Hände entsetzt in die Höhe. »Es ist zwar eine schwere Bürde in meinem Alter. Die Verantwortung! Aber, Ipsy Pipsy, ich kann dir das Geheimnis nicht verraten.«

»Warum nicht?«, fragte Ipsy Pipsy.

Sie wackelte mit ihrem strengen blutroten Finger. Sie brachte ihr Gesicht ganz nah an seins heran, bis sich die Spitzen ihrer Nasen berührten. Sie zischte: »Es ist ein Geheimnis.«

Also ging Ipsy Pipsy weiter die schlängelige Straße lang, sein Schritt schwerer und schwerer, sein Herz noch schwerer, bis er zuletzt, erschöpft und staubbedeckt, seine Stadt erreichte. Und wer stand da müßig unter der rot-weiß-blau gestreiften Barbierstange herum? Jasper Yankel, der Barbier.

»Jasper Yankel«, sagte Ipsy Pipsy. »Bitte. Bitte sag mir: Was ist das Geheimnis, das ich dir gestern verraten habe?«

»Ipsy Pipsy!«, sagte Jasper Yankel.

»Kannst es nicht sagen, hm?«, sagte der erschöpfte Ipsy Pipsy.

»Natürlich nicht«, sagte Jasper Yankel.

»Weil's ein Geheimnis ist?«, fragte Ipsy Pipsy.

»Weil's ein Geheimnis ist!«

Und Ipsy Pipsy ging nach Haus.

Den ganzen Tag und bis weit in den Abend hinein saß er auf seiner vorderen Veranda und versuchte sich an das Geheimnis zu erinnern. Die ganze Nacht, selbst noch in seinen Träumen, versuchte er, sich an das Geheimnis zu erinnern. Den Tag darauf und ebenso den nächsten, saß er auf seiner vorderen Veranda mit hängendem Kopf, ein Jammerbild von einem Mann, und versuchte noch immer sich an das Geheimnis zu erinnern.

Eine Woche verging. Noch immer brütete Ipsy Pipsy vor sich hin. Er saß da, mit dem Kopf in den Händen, und dachte und dachte und dachte immerzu nach.

Eines Tages schließlich verfiel er auf einen Plan. Es war kein besonders guter Plan, aber Ipsy Pipsy schrieb ihn auf die Rückseite eines hellblauen amtlichen Formulars, und so war es ein offizieller Plan. Das war Ipsy Pipsys Plan:

Erster Teil: Der Erschienene Ziffer 1, das bin ich, Ipsy Pipsy, wird den Erschienenen Ziffer 2 bis 4, das sind Jasper Yankel, Tante Mishbuka und Kid Chotchke, erzählen, das infrage stehende Geheimnis, nachstehend »Das Geheimnis« genannt, SEI NICHT WAHR.

Zweiter Teil: Die Erschienenen Ziffer 2 bis 4, Jasper Yankel, Tante Mishbuka und Kid Chotchke, werden in ihrer Überraschung, Beschämung und abgrundtiefen Bestürzung den Erschienenen Ziffer 1, nämlich Ipsy Pipsy, mit Fragen bestürmen und in ihrem verzweifelten Streben nach Bestätigung des Geheimnisses VERSEHENTLICH BESAGTES GEHEIMNIS AUSPLAUDERN.

Den Plan säuberlich gefaltet in der Tasche, machte sich Ipsy Pipsy auf die Suche nach Jasper Yankel, dem Barbier, der wie gewöhnlich unter seiner gestreiften Barbierstange stand.

»Jasper Yankel«, sagte Ipsy Pipsy. »Ich muss dir etwas sagen.«

»Vielleicht noch ein Geheimnis?«, sagte Jasper Yankel hoffnungsvoll.

»Was nützt ein Geheimnis, das nicht wahr ist?«, sagte Ipsy Pipsy.

»Du musst nämlich wissen: Dieses Geheimnis, das ich dir verraten habe, IST NICHT WAHR.«

»Was?«, rief Jasper Yankel aus. »Nicht wahr? ›ICH BIN VERLIEBT‹! Das ist nicht wahr?«

Ipsy Pipsy starrte Jasper Yankel an. »Was fragst du mich?«, rief er ärgerlich. »Du solltest doch wohl selbst am besten wissen, ob du verliebt bist oder nicht, Jasper Yankel.«

Und Ipsy Pipsy schüttelte verwundert den Kopf und setzte seinen Weg fort, bis er Tante Mishbuka sah, hoch oben in einem Pfirsichbaum, beim Pfirsich-pflücken.

»Tante Mishbuka!«, rief er zu ihr hinauf. »Das Geheimnis, das ich dir verraten habe, ist nicht wahr!«

»›ICH BIN VERLIEBT‹!« kreischte sie hinunter. »Das soll nicht wahr sein?«

»*Du* verliebt? Tante Mishbuka, was fragst du mich?«, sagte Ipsy Pipsy. »Wie sollte ich deine ge-heimsten Gefühle kennen?«

Und er entfernte sich, abermals enttäuscht.

Nach einer Weile sah Ipsy Pipsy unter der hohen schattigen Kiefer den schlafenden Kid Chotchke; neben ihm lagen seine Kühe und schwuppten mit den Schwänzen nach den Fliegen.

»Kid Chotchke!«, sagte Ipsy Pipsy und schüttelte den Jungen. »Wach auf. Ich muss dir die Wahrheit sagen. Das Geheimnis, das ich dir verraten habe – ich hab es mir nur ausgedacht.«

»Du hast es dir ausgedacht?«, sagte Kid Chotchke und rieb sich die Augen. »Aber Ipsy Pipsy, du hast gesagt: ›ICH BIN VERLIEBT‹.«

»Kid Chotchke!«, rief Ipsy Pipsy aus. »Kid Chotch-ke, ich habe nie behauptet, du seist verliebt. Ein Junge in deinem Alter? Was für eine Idee!«

Man stelle sich nur vor, dachte er. Zuerst ist Jasper

Yankel verliebt. Dann ist die alte Tante Mishbuka verliebt und dann ist sogar der kleine Kid Chotchke verliebt.

Und dann fiel Ipsy Pipsy etwas ein.

»So ein Zufall!«, sagte er zu Kid Chotchke. »Du und Tante Mishbuka und Jasper Yankel seid alle verliebt – und ich bin's auch! Jetzt weiß ich es wieder! ICH BIN VERLIEBT!«

»Nein, nein, Ipsy Pipsy«, sagte Kid Chotchke. »Du kannst nicht verliebt sein.«

»Und warum nicht? Bin ich nicht aus Fleisch und Blut, genau wie Jasper Yankel und Tante Mishbuka und genau wie du?«, sagte Ipsy Pipsy und zog Kid Chotchke (aber sanft) am Ohr. »Das *ist* ja mein Geheimnis, du dummer Kid Chotchke. Ich bin verliebt!«

»Aber Ipsy Pipsy! Du hast doch grad gesagt, dass dein Geheimnis NICHT WAHR ist.«

Das habe ich wirklich, dachte Ipsy Pipsy. Und er ließ sich die Sache einen Moment durch den Kopf gehen.

»Hm«, sagte Ipsy Pipsy. Er war mit seinem Latein am Ende.

»Vielleicht hast du nur einen Witz gemacht«, sagte Kid Chotchke. »Ich liebe Witze!« Und er brach in ein so brüllendes Gelächter aus, dass Ipsy Pipsy sich sagte: Kid Chotchke muss Recht haben, es *ist* ein Witz gewesen. Und es muss ein so witziger Witz gewesen sein, dachte er, denn er brach gleichfalls in Gelächter aus, und noch lange nachdem er den Jungen und dessen Kühe verlassen und weit hinter sich unter dem schattigen Baum zurückgelassen hatte, konnte er Kid Chotchke lachen hören.

Jetzt eilte Ipsy Pipsy auf die kleinere Stadt zu, wo

seine Schwester wohnte, und in seiner Aufregung nahm er die große Entfernung kaum wahr. Die Meilen flogen unter seinen Füßen nur so dahin. Als er endlich die kleinere Stadt erreicht hatte, rannte Ipsy Pipsy zum Haus seiner Schwester, um ihr sein Geheimnis zu verraten.

»Ipsy Pipsy! Das ist ja herrlich!«, rief sie aus, und sie küsste ihn auf beide Wangen und setzte ihm Tee und Früchtekuchen vor. »Du bist verliebt! Und wer ist die Glückliche?«

»Wer?«, sagte Ipsy Pipsy.

Gute Frage!

»Ich hab's vergessen«, sagte Ipsy Pipsy, und er aß seinen Kuchen auf, trank seinen Tee und ging langsam und traurig aus dem Haus seiner Schwester hinaus.

Ipsy Pipsy blieb vor der Haustür seiner Schwester stehen und blickte auf die lange, schlängelige Straße, die von der kleineren Stadt, wo seine Schwester wohnte, zur kleinen Stadt führte, in der er wohnte. Sie erschien ihm länger und schlängeliger als jemals zuvor.

»O weh«, seufzte Ipsy Pipsy.

Als plötzlich, quer zu seinem Weg, Miss Ziesa Shayna Velt ... Ipsy Pipsy riss die Augen auf. War es möglich? Ihre Augen waren so blau wie die Blaubeerflecken an Tante Mishbukas Fingern; ihre Zähne so weiß wie die Schürze seiner Schwester; ihre Lippen so rot wie Kid Chotchkes Wangen; sie hielt sich so gerade wie eine Barbierstange. Ipsy Pipsy legte sich eine Hand aufs Herz, all seine Vergesslichkeit vergessend.

»Miss Ziesa Shayna Velt!«, rief Ipsy Pipsy. »Sie ... sind es!«

»Wer sonst?«, entgegnete sie.

Und als Ipsy Pipsy und Miss Ziesa Shayna Velt zusammen, Hand in Hand, die staubige Straße von der kleineren Stadt zur kleinen Stadt zurückgingen, war Ipsy Pipsy ein glücklicher Mann.

Und warum auch nicht? Er war verliebt. Und er wusste es.

Franz Hohler

Der offene Kühlschrank

Ein Mann suchte einmal in seinem Kühlschrank ein Himbeer-Joghurt, aber er fand keins. Enttäuscht ging er zur Küche hinaus und vergaß dabei den Kühlschrank zu schließen.

Sosehr der Kühlschrank auch kühlte, in seinem Innern wurde es immer wärmer und nach einer Weile lief ein kleines Bächlein unten aus ihm heraus.

»Das ist ja nicht auszuhalten!«, stöhnten die Haselnussjoghurts.

»Ist das ein Kühlschrank oder ein Kachelofen?«, giftelten die Schweinswürstchen.

»Wie soll man hier noch frisch bleiben?«, ächzte ein Emmentaler Käse, der schon aus allen Löchern tropfte.

»Mir reicht's«, sagte ein Joghurt nature, »ich gehe!«

»Wohin denn?«, fragten die Würstchen.

»In die Natur«, sagte das Joghurt nature.

»Ich komme mit!«, rief ein Bio-Krachsalat.

»Wir auch!«, riefen die Haselnussjoghurts, die Schweinswürstchen, der Emmentaler Käse, die Butter und die zwei Milchpackungen, und auch die Eier und die Tomaten nickten entschlossen. Ein Bier, das vor Wut schäumte, schloss sich ebenfalls an, nur die Essiggurken, die Silberzwiebelchen und die Oliven blieben in ihren Gläsern und glotzten den andern blöd und träge nach.

Die hüpften nun alle zum Kühlschrank hinaus und zogen, angeführt vom Joghurt nature, wie eine kleine, feuchte Karawane ins Wohnzimmer. Bald hatten sie die Topfpalme neben dem Sofa erreicht.

»So!«, rief das Joghurt nature, »im Schatten dieser Palme lassen wir es uns wohl sein!« Alle ließen sich nun auf dem Teppich am Fuß der Zimmerpalme nieder und genossen die Aussicht auf die Sofalehne, die Stuhlbeine, den Glastisch und den Fernsehapparat. Überall, wo sie saßen, gab es nasse Flecken. Aber es ging nicht lange, da sagte der Emmentaler Käse: »Mir ist so heiß.«

»Ja«, sagten die Würstchen, »es ist hier überhaupt nicht kälter als im Kühlschrank«, und den beiden Milchpackungen rannen große Tropfen über ihre Aufschrift hinunter.

»Kameraden!«, rief da das Joghurt, »wir verlassen dieses Haus!«, und sie erhoben sich und gingen alle zusammen das Treppenhaus hinunter zur Tür hinaus und standen nun auf der Straße.

Da es Sommer war, schlug ihnen eine große Hitze entgegen.

»Es ist heißer als in einer Kuh«, sagte eine Milchpackung zur andern.

»Ich schwitze«, sagte der Krachsalat laut.

»Ich schmelze«, sagte die Butter leise.

»Uns wird ganz schwabblig«, sagten die Eier, die Tomaten liefen rot an und das Bier schäumte stumm vor sich hin.

»Gut«, sagte das Joghurt nature, »dann halt zurück in den Kühlschrank.«

Aber hinter ihnen war die Haustür ins Schloss gefallen, und da standen sie und wussten nicht ein noch aus.

In dem Moment kam der Mann zurück, der sich im Milchladen ein paar Himbeerjoghurts gekauft hatte, und traf fast den ganzen Inhalt seines Kühlschranks vor der Haustüre an.

»Was macht ihr denn da?«, fragte er erstaunt.

»Ein bisschen frische Luft schnappen«, hüstelte das Joghurt nature.

»Wird ja wohl noch erlaubt sein«, sagten die Schweinswürstchen frech und die andern schauten verlegen zu Boden.

»Na dann«, sagte der Mann, packte die Joghurts, den Emmentaler, die Würstchen, die Eier, die Tomaten, den Krachsalat, die Butter, die Milch und das Bier in seine Tasche, trug sie hinauf, stellte sie eins nach dem andern in den Kühlschrank und schloss die Tür, und bald strömten wieder herrlich kühle Luftzüge um unsere Abenteurer.

Die Butter atmete auf, die Würstchen schauten wieder frisch aus der Packung und der Emmentaler Käse strahlte aus allen Löchern.

»So, war's schön in der Natur?«, stichelten die Essiggurken, und die Oliven und die Silberzwiebelchen kicherten dümmlich dazu.

Da riefen die Joghurts, der Käse, die Würstchen, die Tomaten, die Eier, der Krachsalat, die Butter, die Milchpackungen und das Bier wie aus einem Munde: »Jaaaa!«

Und alle erzählten noch so lange von der Topfpalme, dem Treppenhaus und der Hitze vor der Haustüre, bis sie gegessen oder getrunken wurden.

Hanna Johansen

Dieses Jahr wird nicht verreist

Holen sie wirklich wieder die Koffer herunter? Das kann nicht wahr sein. Wenn es doch wahr ist, muss ich mir etwas einfallen lassen, um das Schlimmste zu verhindern. Dieses Jahr wird nicht verreist, sage ich.

Die beste Zeit im ganzen Jahr ist bekanntlich der Sommer. Wozu der Winter gut sein soll, weiß ich nicht. Von mir aus könnte man ihn weglassen. Ich laufe den Sonnenstrahlen nach und liege auf der Heizung. Im Sommer ist das natürlich nicht nötig. Die Tage sind lang und warm. Mich zieht es zu den schattigen Stellen, hinter den Bäumen, unter den Dächern und im offenen Eingang. Und von allem das Herrlichste sind die langen, lauwarmen Stunden der Abenddämmerung, wenn langsam die Dunkelheit kommt. Auf die Nacht warte ich mit ihren feineren Geräuschen, lebhafteren Düften und wirklicheren Aufregungen. Aber was rede ich. Ich komme ins Schwärmen. Ich wollte nur sagen, wie gern ich abends losziehe. Leise. Nein, unhörbar. Nicht wie unser Hund, der immer losstürmt, als wäre Feuer im Dach. Er kann nicht einen Gedanken in seinem ungekämmten Kopf haben, ohne dass es einen Riesenlärm macht. Den letzten Floh reißt er aus seinen Träumen. Gut, er ist ein Hund, er kann nichts dafür.

Aber jedes Mal dann, wenn der Sommer besonders schön wird, passiert es. Sie holen die Koffer vom Dachboden. Endlich Ferien, sagen sie. Das ganze Jahr freuen sie sich auf ihre Reise, sagen sie. Ich glaube kein Wort davon.

Ferien? Was soll das? Die schönste von allen Jahreszeiten durch langes Herumreisen verderben? Mit dem Auto natürlich. Autofahren ist so ziemlich das Letzte, wenn man mich fragt. Mich fragt man aber nicht. Mich bringen sie ins Tierheim, ohne mir auch nur ein Wort zu sagen. Ich hasse das Hin und Her. Aber unter uns gesagt, mir gefällt es bei den andern Katzen im Heim besser als im Auto. Ich sage das natürlich nicht. Ich jammere ihnen die Ohren voll, wenn sie mich ins Auto stecken. Sie sollen ruhig ein schlechtes Gewissen haben, wenn sie mich wegbringen. Aber so weit ist es noch nicht. Und es wird auch nicht dazu kommen. Ich werde mir etwas einfallen lassen.

Leider ist es wahr: Sie holen die Koffer vom Dachboden. Sie verteilen die Koffer in allen Zimmern. Koffer riechen schlecht. Aber das ist nicht das Schlimmste. Koffer machen mich krank, obwohl ich mir nichts anmerken lasse. Ich tue so, als wäre alles in Ordnung, aber nichts ist in Ordnung. Ich stapfe durch die Wohnung. Das muss man sich mal vorstellen: Auf jedem Bett liegt ein Koffer, sperrangelweit offen, und daneben jede Menge Sachen. Man könnte meinen, sie wollten umziehen. Das wollen sie natürlich nicht. Aber es ist schlimm genug, dass nirgends mehr ein Bett frei ist, auf dem ich mich ausstrecken könnte. Das macht mich rasend. Ich überlege mir, ob ich weglaufen soll. Schließlich ist das Herumliegen auf den Betten eine von meinen wichtigsten Beschäftigungen. Jedenfalls tagsüber. Nachts habe ich natürlich Besseres zu tun. Ich überlege im Ernst, ob ich sofort gehen soll.

Mit mir können sie machen, was sie wollen, denken sie. Ich bin hier bloß die Katze. Irrtum. Hier wird gemacht, was ich will. Und jetzt brauche ich eine Idee. Das Einfachste ist, ich gehe weg. Ich lege mich erst einmal in den Windfang, zwischen die innere und die äußere Tür, um zu denken. Ich könnte jetzt gehen, denke ich. Ich könnte aber auch erst später gehen.

Von hinten nörgelt eine Menschenstimme: »Du weißt nicht, was du willst«, sagt sie. »Rein oder raus?«

Ich weiß nicht, was ich will? Das weiß ich sehr genau: rein und raus. Auf keinen Fall rein oder raus. Ich weiß nicht nur, was ich will, ich weiß auch, was ich wollen sollte. Und jeder weiß, dass das etwas anderes ist als das, was ich sollen wollte. Aber lassen wir das. Wissen die Menschen etwa, was sie sollen? Na also. Ich will jedenfalls auf keinen Fall, was ich soll, und auf jeden Fall, was ich will. Und jetzt will ich nachdenken. Nachdenken ist wichtig. Zwischen offenen Koffern ist Nachdenken unmöglich. Zwischen offenen Türen denkt es sich besser.

Was kann ich tun?, denke ich. Es muss etwas geschehen gegen die Koffer, gegen die Unordnung, gegen das Herumrennen. Irgendjemand muss etwas unternehmen gegen diese Reise, bevor es zu spät ist. Weglaufen löst das Problem nicht. Ich muss mir was Besseres ausdenken.

Wie war das im letzten Sommer? Keine Reise. Und warum nicht? Die Zebrafinken haben uns gerettet. Das hätte ich ihnen gar nicht zugetraut. Ich mag Vögel sehr, aber das ist eine andere Geschichte. Unsere Zebrafinken hopsen den ganzen Tag im Käfig herum. Das sieht hübsch aus, aber sonst ist mit ihnen nicht viel anzufangen. Trotzdem hatten sie letztes Jahr, als die Ferienzeit näherkam, eine sehr merkwürdige Idee. Sie haben ein Nest gebaut. Sie haben Eier gelegt. Sie haben gebrütet. Und die ganze Familie war so aufgeregt, als hätten sie die Eier selber gelegt. Im Kreis standen sie um das Naturwunder herum und konnten es nicht fassen. Die Diskussionen vor dem Essen, beim Essen und nach dem Essen nahmen kein Ende. Und dann haben sie tatsächlich ihre Ferien abgesagt. Sie wollten nicht, dass die Zebrafinkenküken im Tierheim ausschlüpfen. Das werde ich unsern Vögeln nie vergessen. Aber so gut die Idee auch war, sie hilft jetzt nicht weiter. Ich kann leider keine Eier legen. Und selbst wenn ich es könnte, ich weiß nicht, ob ich es wollte. Eine Katze, die Eier legt? Das würde mir kein Mensch glauben.

Und was kann ich sonst tun? Vor zwei Jahren gab es auch einen Grund, hierzubleiben. Es war unser Hund. Er kam zu früh. Sie hatten ihn erst nach den Ferien erwartet. Aber als er einmal da war, mit seinen Schlappohren und seinen Stirnfalten und seinen Kinderaugen, da waren sie alle vollkommen närrisch und sind nicht weggefahren. Das war gut so. Aber was dieses fremde Tier bei uns zu suchen hatte, das ist eine andere Frage. Mich hatte wieder mal keiner gefragt. Man sollte nicht glauben, dass ein lebendiges Geschöpf so ungeschickt und so laut sein kann. Aber es hatte so eine Art, mich anzusehen, dass ich ihm nicht wirklich böse sein konnte. Jedenfalls wollten sie es nicht ins Tierheim geben, das gute Hündchen. Mich geben sie hin. Ich habe keine Schlappohren und keine Stirnfalten. Und vor allem habe ich keine Kinderaugen. Ich bin erwachsen.

Vor drei Jahren, wenn ich mich recht erinnere, sind sie auch nicht weggefahren. Die Koffer lagen auf den

Betten wie jedes Jahr und gähnten mir überall da entgegen, wo ich auf ein schönes, stilles freies Plätzchen hoffte. Die gute Idee in jenem Jahr stammte vom Auto. Ich halte sonst nichts von Autos, überhaupt nichts, aber das muss ich ihm lassen, dieses eine Mal ist ihm etwas eingefallen. Es ist zusammengebrochen. Das heißt: Es fuhr nicht mehr. Frag mich nicht, wie man das macht. Es würde ja auch nicht viel nützen, das zu wissen, wenn man kein Auto ist. Wenn eine Katze sich nicht mehr von der Stelle rührt, was tun sie? Bringen sie die Koffer auf den Dachboden? Nein, die Katze zum Tierarzt, und das ist nichts für mich. Das Auto war nicht zu reparieren, jedenfalls nicht so schnell. Und ohne Auto ging es nicht, sagten sie, weil sie für das Baby ein Bett, einen Stuhl und einen Wagen mitnehmen mussten. Dabei konnte es schon ganz gut selbst herumlaufen, das Baby, wenn es nur wollte. Aber Menschen sind ziemlich komisch, wenn es um ihre Babys geht.

Und dabei fällt mir ein, wer vor vier Jahren die gute Idee hatte: Es war das Baby selber. Es musste gar nicht viel tun. Manchmal genügt bloßes Kleinsein, um ein Unglück zu verhindern. Das Baby war damals noch so klein, dass die Koffer gar nicht erst auf die Betten gelegt wurden. Ich fand dieses Baby zwar ziemlich groß, aber wenn man bedenkt, wie groß Menschen sonst sind, dann war es wohl doch eher klein. Kaum war es einen Augenblick für sich allein, kniff es die Augen zusammen, riss das Maul auf und stieß Schreie aus, die ohne Sinn und Verstand waren und auch nicht besonders schön klangen. Ehrlich gesagt, sie klangen scheußlich, diese Schreie. Und wenn ich sage scheußlich, dann meine ich scheußlich. Das Schreien war nicht auszuhalten. Ich war froh, dass immer, wenn es den Mund aufmachte, jemand herbeigerannt kam, um es wieder zur Ruhe zu bringen.

Vor fünf Jahren ist den beiden großen Kindern etwas eingefallen, worauf ich nie gekommen wäre. Die Kleider stapelten sich schon auf den Betten, vor den Betten und unter den Betten. Eine ekelhafte Vorfreude hatte sich breit gemacht. Dann geschah es von einem Tag auf den andern. Die Kinder bekamen rote Punkte. Sie warfen die Koffer von den Betten herunter, legten sich hinein und behaupteten, sie wären krank. Ein wirklich glänzender Einfall, leider unwiederholbar wie die meisten guten Einfälle. Jedenfalls für mich. Wie soll ich rote Punkte bekommen? Ich bin vollkommen gesund und habe rote Streifen. Rote Streifen interessieren keinen.

Das mit den roten Punkten war vor fünf Jahren. Oder vor sechs Jahren? Aber was war dann vor fünf Jahren? Irgendwas muss damals passiert sein, um diese schrecklichen Sommerferien zu verhindern. Immerzu gab es Streit, weil wieder einmal alle mehr Sachen einpacken wollten, als man mitnehmen konnte. War es vielleicht damals, als die Tasche mit den Papieren verschwunden ist? Na und, dachte ich. Man sollte meinen, sie hätten sich gefreut, weil es weniger einzupacken gab. Aber das Gegenteil trat ein. Sie konnten ohne diese Papiere nicht verreisen.

Was vor sieben Jahren los war, weiß ich genau: Ich war es. Ich war es, die hier eingezogen ist. Ich war damals so klein, dass ich noch nicht allein auf einen Stuhl springen konnte. Es klingt unglaublich, ist aber wahr. Wir haben alle mal klein angefangen. Natürlich sind sie meinetwegen zu Hause geblieben. Das waren Zeiten. Aber vorbei ist vorbei.

Die Frage ist nun: Was kann ich tun, um in diesem Jahr das Schlimmste zu verhüten? Es wird Zeit, dass mir etwas einfällt. Aber was? Die Stunden vergehen, und mir ist, als gäbe es gar keine guten Einfälle mehr auf dieser Welt.

Vorhin habe ich gedacht, das Radio kommt mir zu Hilfe. Eine Stimme hat gemeldet, dass die Strände voller Öl sind, die Meere voll von schleimigen Algen und die Straßen voller Autos. Man sollte meinen, dass das genügt. Aber es hat alles nichts genützt. Meine Leute haben die Stirn gerunzelt, sich ernst angeschaut und sind wieder zu ihren Koffern gegangen. Sie haben die Koffer zugemacht. Und unser Hund, statt mir zu helfen, hopst laut und begeistert durch die Wohnung. Ich will nichts gegen ihn sagen. Er ist in Ordnung, ich meine, für einen Hund, aber wie Hunde nun mal sind, er geht mit meinen Leuten in die Ferien. Er bettelt geradezu darum, dass er ins Auto steigen darf. Was soll man dazu sagen?

Es ist zu spät. Ich glaube, dieses Mal fahren sie wirklich.

Root Leeb

Windgeflüster

Lara lag auf dem Bauch, den Kopf in die Arme vergraben, und ließ sich die Sonne auf den Rücken scheinen.

Sehr angenehm die Schule so weit weg zu wissen. Erst in genau siebenunddreißig Tagen wieder …

Sehr unangenehm aber auch Anna und Chris so weit weg zu wissen. Erst in genau siebenunddreißig Tagen …

Alle waren weggefahren oder geflogen! Nach Italien, Griechenland, Spanien, in die Türkei, Jonas sogar nach Texas! »Aber wartet nur«, dachte Lara, »ich werde genauso knackig braun sein und genauso viel zu erzählen haben wie ihr alle, auch wenn ich nur auf diesem popligen Kiesstreifen an diesem noch popligeren Baggersee herumliege und jeden Tag meine zwei bis drei Stunden im Krankenhaus verbringe.«

»Dieses Jahr können wir in den Ferien nicht wegfahren«, hatte Mutter kurz nach Pfingsten gesagt. »Oma geht es gar nicht gut. Wir können sie nicht mehr alleine hier lassen.«

»Dann nehmen wir sie halt gut verpackt mit, irgendwohin, wo es für sie auch schön ist«, hatte Lara geantwortet und an die vielen alten Leute gedacht, die sie im letzten Jahr an diesem wunderschönen Sandstrand mit den hohen Schatten spendenden Silberpappeln in Italien gesehen hatten. Damals hatten sie auch von Oma gesprochen und sich vorgenommen einmal mit ihr zusammen dort Urlaub zu machen.

»Das geht nicht, Lara. Oma muss ins Krankenhaus und operiert werden. Und … wir können froh sein, wenn sie im Herbst noch bei uns ist …« Dann hatte die Mutter geweint. Nach dem ersten Schreck hatte Lara sich damit getröstet, dass ja erst Mai war und bis zu den großen Ferien vielleicht alles noch gut werden würde.

In der Schule wich sie den Gesprächen über Ferienpläne lange aus. Erst eine Woche vor Ende des Schuljahres weihte sie ihre beiden Freundinnen ein.

»O je, du Arme«, hatte Chris gesagt und Anna hatte hinzugefügt: »Und die arme Oma. Im Sommer, bei diesem schönen Wetter im Krankenhaus – das kann doch gar nicht gesund sein!«

Da hatten sie dann alle drei ein bisschen gelacht.

Aber jetzt waren die lang ersehnten Ferien da, die Oma war immer noch im Krankenhaus und alle von der Klasse waren weg.

Lara drehte sich auf den Rücken. Die unterschiedlich großen Kieselsteine hatten durch das Handtuch hindurch ein Muster in ihre Oberschenkel gedrückt. Ihr war heiß.

Zwei Libellen flogen surrend vorüber. Eigentlich war es hier auch schön. Lara verschränkte die Arme unter dem Kopf und blinzelte den beiden zarten grünblauen Wesen auf ihrem Weg zum Wasser hinterher. Ein leichter Wind kam auf, fuhr in die Zweige der Birken nebenan und brachte die Blätter zum Rascheln.

Lara dachte an die Großmutter.

Sie war immer eine Lustige gewesen. Und neugierig! Alles wollte sie wissen und ausprobieren. Sie war über alles im Bilde, wer gerade Laras beste Freundin war, mit wem sie Krach hatte, welchen Film sie schon gesehen hatte und welchen sie noch sehen wollte und welche Spiele gerade in Mode waren. Sogar Gummitwist hatte sie ausprobiert. Aber weiter als bis zum Knöchel war sie nie gekommen.

Verflixt, und jetzt musste genau diese Oma im Bett liegen und durfte sich nicht rühren und bekam Injektionen, von denen sie von Tag zu Tag noch dünner und blasser wurde.

Man sollte sie einfach entführen. Anna hatte Recht.

Es war sicherlich überhaupt nicht gesund für Oma im Krankenhaus zu liegen. Auch wenn Lara sie jeden Tag besuchte und alles tat um sie aufzuheitern. Sie blieb blass und schwach. Es nützte auch kaum etwas, dass Lara aus ihren Lieblingsbüchern vorlas oder einmal sogar als Lucky Luke verkleidet ankam. Oma liebte diese Spiele und Lara wollte sie daran erinnern, wie sie früher gemeinsam irgendwelche unsichtbaren Feinde verfolgt hatten. Oma war immer Calamity Jane gewesen. Sie hatte sogar eine altmodische Knallpistole, die ihr Lara zum siebzigsten Geburtstag von ihrem Taschengeld gekauft hatte. Damals waren alle zuerst entsetzt gewesen und fanden das Geschenk äußerst unpassend, aber Oma hatte so herzlich gelacht und gleich in die Luft geballert und sich dabei so sichtlich gefreut, dass später alle die Idee einmalig fanden. Sogar Mutter und Onkel Fred, die bei so etwas sonst gar keinen Spaß verstanden. Aber seit Oma im Krankenhaus lag, war sie für gar nichts mehr zu begeistern. Sie musste weg von da. Und zwar so schnell wie möglich.

Der Wind strich leicht säuselnd über das Wasser, kräuselte die Oberfläche zu feinen, lächelnden Fältchen. »Wie Omarunzeln«, dachte Lara und spürte, wie der Wind sanft über ihre Haut wehte und ihren erhitzten Körper kühlte. Mit geschlossenen Augen überlegte sie, wie sie die Oma hierherholen würde.

Zuerst und vor allem brauchte sie einen bequemen Liegestuhl. So einen, bei dem man nach hinten kippen und die Füße hochlagern konnte. Dann einen Sonnenschirm und natürlich die Kühltasche ...

Der Wind streichelte ihr jetzt flüsternd und wispernd über die Stirn. Die Großmutter saß neben ihr unter der Birke zurückgelehnt im Liegestuhl und lachte glucksend.

»Kind, was du immer für Ideen hast! Die werden Augen machen, wenn sie reinkommen und wollen mein Bett machen und da liegt keine Oma mehr ... Ach, die werden einen Schreck kriegen. Wunderbar, den gönne ich ihnen. Die haben doch immer gejammert, dass sie überbelegt sind und keine freien Betten mehr haben. Jetzt haben sie also ein Problem weniger. Ich wusste ja schon immer, dass du genial bist, Lara Luke! Aber sag mal – weiß deine Mutter eigentlich Bescheid?«

»Na klar, sie kommt auch hierher. Direkt nach der Arbeit, mit Picknickkorb! Aber das wird noch eine Weile dauern. Komm, wir essen erst mal ein Zitroneneis!«

»Kind, du bist 'ne Wucht! Wo hast du diesen Pott denn her?«

»Ach, das ist so ein Styroportopf, den geben sie dir beim Eis-Stefano, wenn du mehr als zehn Kugeln nimmst. Willst du?«

»Und ob! Ah, der Wind ist angenehm. Weißt du, da drinnen war es immer so stickig und schwül, aber hier so barfuß mit den Füßen hoch und den Wind zwischen den Zehen – und dazu noch Zitroneneis! Ach Lara, ich würde sagen, genau das ist das Paradies!«

Lara fröstelte plötzlich. Sie richtete sich auf und sah erstaunt um sich. Sie war allein. Der Wind war jetzt stärker geworden, aber die Sonne schien noch genauso gleißend wie zuvor.

Oben auf der Landstraße hielt ein weißer Audi. Lara sah mit zusammengekniffenen Augen, wie ihre Mutter ausstieg und schnell auf sie zulief

»Lara!«, rief sie schon von weitem. Und Lara winkte. Sie sprang auf und ging der Mutter entgegen. Beim Näherkommen sah sie, dass die Mutter weinte.

»Lara, die Oma ist gerade gestorben.« Die Mutter fiel ihr um den Hals. »Ich dachte, ich komme sofort zu dir, vielleicht willst du gleich mit mir noch einmal zurück ins Krankenhaus.«

Lara schüttelte wortlos den Kopf und setzte sich langsam nieder, wo sie gerade stand. Die Mutter setzte sich dicht neben sie. »Wir haben nicht gewusst, dass es schon so weit fortgeschritten war …« Sie weinte wieder. »Und dabei war die Oma heute Morgen noch so guter Dinge. Weißt du, was sie als Letztes gesagt hat?«

Lara schüttelte den Kopf

»Hm, hier riecht es aber gut nach Zitroneneis!«

Lara lächelte, während ihr die Tränen über das Gesicht liefen.

Italo Calvino

Mond und Gnac

Zwanzig Sekunden dauerte die Nacht und zwanzig
Sekunden das GNAC. Zwanzig Sekunden lang sah
man den blauen, von schwarzen Wolken durchbroche-
nen Himmel, die goldene Sichel des zunehmenden
Mondes, darunter, kaum zu spüren, seinen Hof und
dann Sterne, deren bohrende Winzigkeit immer ein-
dringlicher wurde, je länger man sie anstarrte, bis hin
zum Gewimmel der Milchstraße, und all dies musste
man sehr eilig in sich aufnehmen, jede Einzelheit war
ein Teil des schwindenden Ganzen; schwindend, weil
die zwanzig Sekunden rasch vorüber waren, und dann
begann das GNAC.

Das GNAC war ein Stück der Reklameschrift auf
dem Dach des gegenüberliegenden Hauses: SPAAK-
CO-GNAC. Zwanzig Sekunden leuchtete die Schrift,
und zwanzig Sekunden war sie erloschen, und wenn sie
aufflammte, sah man nichts anderes mehr. Unverzüglich verblich der Mond, der Himmel wurde einförmig
schwarz und flach, die Sterne verloren ihren Schimmer
und Katzen und Kater, die seit zehn Sekunden ihr Lie-
besgeheul zum Himmel sandten, wobei sie sich sehn-
süchtig die Schornsteine und Regenrinnen entlang aufeinander zubewegten, drückten sich beim GNAC mit
gesträubtem Fell im phosporeszierenden Neonlicht auf
die Dachziegel nieder.

Die Familie Marcovaldo wurde am Fenster der Mansarde, in der sie hauste, von widerstreitenden Gedanken heimgesucht. Herrschte Nacht, dann fühlte sich Isolina, die inzwischen schon ein großes Mädchen war, vom Mondschein davongetragen, ihr Herz zog sich zusammen, und noch das leiseste Krächzen eines Radios aus den unteren Stockwerken drang zu ihr, als wären es die Takte einer Serenade; herrschte das GNAC, nahm jenes Radio sofort einen anderen Rhythmus an, einen Jazzrhythmus, und Isolina streckte sich in ihrem engen Pulli und dachte an die Dancings mit ihren vielen Lichtern, und sie, die Arme, war hier oben allein. Daniele und Michelino, acht und sechs Jahre alt, spähten mit weit aufgerissenen Augen in die Nacht und ließen sich von einem heißen, aber angenehmen Gruseln durchrinnen bei der Vorstellung, sie seien in einem dichten Wald voller Räuber. Dann plötzlich GNAC! Und mit gehobenem Daumen und ausgestrecktem Zeigefinger fuhren sie aufeinander los: »Hände hoch! Ich bin Superman!«

Wenn die Nacht die Lichter löschte, dann dachte Domitilla, die Mutter, jedes Mal: Jetzt muss man die Kinder aber wirklich zurückholen, die Luft kann ihnen schaden. Und Isolina um diese Zeit am Fenster, das schickt sich doch nicht! Doch dann wurde es wieder hell, schön elektrisch, draußen wie drinnen, und Domitilla fühlte sich wie zu Besuch in einem ehrbaren Haus.

Fiordaligi wiederum, ein früh entwickelter Fünfzehnjähriger, sah jedes Mal beim Erlöschen des GNAC im Rund des G das spärlich erleuchtete Fensterchen einer Dachkammer und hinter der Scheibe das mondfarbene Antlitz eines Mädchens, das neonlichtige, das nachtlichtige Gesicht eines Mädchens, einen noch fast kindlichen Mund, der sich unmerklich schloss, wenn Fiordaligi ihm zulächelte, und sich gleich darauf wieder zu einem Lächeln zu öffnen schien – und da, schon schoss aus dem Dunkeln dieses erbarmungslose G des GNAC hervor, das Gesicht verlor seine Umrisse, wurde ein schwacher Schatten, und von dem Mädchenmund wusste man nicht, ob er das Lächeln beantwortet hatte.

Inmitten dieser Gefühlsstürme versuchte Marcovaldo, seinen Kindern die Stellung der Himmelskörper beizubringen.

»Das ist der Große Wagen, eins, zwei, drei, vier, und das dort die Deichsel; hier der Kleine Wagen und der Polarstern zeigt euch, wo Norden ist.«

»Und der andere Stern da, was bedeutet der?«

»Der bedeutet C. Aber er hat mit den Sternen nichts zu tun. Es ist der letzte Buchstabe des Wortes Cognac. Die Sterne hingegen bezeichnen die Himmelsrichtungen: Norden, Süden, Osten, Westen. Der Mond sieht aus wie ein angefangenes rundes Z. Darum nimmt er zu. Sieht er aus wie ein angefangenes a, nimmt er ab.«

»Papa, dann nimmt der Cognac ab? Das C fängt auch an wie ein a.«

»Der hat nichts mit Abnehmen oder Zunehmen zu tun. Das ist eine Leuchtschrift, die hat die Firma Spaak dort anbringen lassen.«

»Und welche Firma hat den Mond anbringen lassen?«

»Gar keine. Der Mond ist ein Satellit, und der ist immer da.«

»Wenn er immer da ist, warum dreht er sich dann einmal nach links und einmal nach rechts?«

»Das sind die Viertel. Man sieht dann eben nur ein Stück von ihm.«

»Vom COGNAC sieht man auch nur ein Stück.«

»Weil das Dach vom Palazzo Pierbernardi sich davorschiebt. Das ist höher.«

»Höher als der Mond?«

Auf diese Weise vermengten sich Marcovaldos Sterne bei jedem Aufglühen des GNAC mit irdischen Dingen und Isolinas letzter Seufzer ging über in das Keuchen eines gesungenen Mambos und das Mädchen in der Dachkammer verschwand in jenem gähnenden, kalten Schlund und mit ihr die Antwort auf den Kuss, den Fiordaligi ihr mit den Fingerspitzen zuzuwerfen endlich gewagt hatte; und Daniela und Michelino, die Fäuste vor die Gesichter gehoben, feuerten vom Flugzeug aus, was ihr Maschinengewehr hergeben wollte – ta-ta-ta-ta –, auf die Leuchtbuchstaben, die denn auch wirklich nach zwanzig Sekunden erloschen.

»Ta-ta-ta ... Hast du gesehen, Papa, ich hab sie mit einer einzigen Garbe runtergeholt!«, sagte Daniele; doch kaum war er dem Neonlicht entronnen, erlosch auch seine kriegerische Begeisterung, und seine Augen füllten sich mit Schlaf.

»Wäre nicht schlecht! Wenn's nur in Stücke ginge!«, entschlüpfte es dem Vater. »Dann würde ich euch den Löwen zeigen, die Zwillinge ...«

»Den Löwen!« Michelino packte wildes Entzücken. »Warte mal!« Ihm war ein Gedanke gekommen. Er holte seine Schleuder hervor, lud sie mit Kieselsteinen, von denen er immer eine Reserve in der Tasche mit sich herumtrug, und schoss eine fächerartige Garbe mit aller Kraft auf das GNAC.

Man hörte den Hagel verstreut auf die Ziegel des gegenüberliegenden Daches und auf das gebogene Eisenblech der Regenrinne prasseln, das Scheibenklirren eines getroffenen Fensters, das »Gong« eines Kiesels, der weiter unten auf den Schirm einer Laterne schlug, eine Stimme von der Straße herauf: »Es regnet Steine! He, da oben, seid ihr verrückt geworden?«

Doch die Leuchtschrift war genau im Augenblick des Schusses ausgegangen, da wieder zwanzig Sekunden verstrichen waren. Und im Stillen begannen alle dort in der Mansarde mitzuzählen: eins, zwei, drei, elf, zwölf, bis zwanzig. Bei neunzehn holten sie Atem, dann zählten sie zwanzig, zählten einundzwanzig und zweiundzwanzig, in der Befürchtung, sie hätten zu rasch gezählt, aber nichts da, das GNAC flammte nicht wieder auf, nur ein dunkles, schwer zu entzifferndes Geschnörkel blieb übrig, verknüpft mit seinem Haltegestänge wie Reben am Weinstock.

»Ahhhh!«, riefen sie alle, und die Wölbung des Himmels war über ihnen, gestirnt bis in die Unendlichkeit.

Marcovaldos Hand, zur Ohrfeige erhoben, blieb in der Luft hängen; er fühlte sich wie in den Weltraum geschleudert. Das Dunkel, das jetzt auf der Höhe der Dächer herrschte, war eine schwarze Barriere und schloss sie von der Welt dort unten ab; von jener Welt, wo gelbe, grüne und rote Hieroglyphen, blinzelnde Verkehrsampeln, fortfuhren zu kreisen, wo elektrisch durchglühte leere Straßenbahnen und unsichtbare Automobile vorüberzogen, die den Strahl ihrer Scheinwerfer vor sich ins Dunkel stießen. Nur ein diffuses Phosphoreszieren, ein undeutliches Gestäube drang von alldem bis hier herauf. Und vor dem nicht mehr geblendeten Auge öffneten sich Durchblicke in den Weltraum, Konstellationen erstreckten sich in unermessliche Tiefen, das Firmament kreiste, Sphären, die alles umschlossen und selbst unbegrenzt waren, und nur zur Venus hin öffnete sich ein Durchgang, eine Bresche, auf dass sie allein über dem Rund der Erde stehe, mit dem steten, stechenden Funkeln eines Lichtes, das in einem Punkt sich zusammenzog und zugleich explodierte.

Und in diesem Himmel enthüllte der neue Mond, anstatt seine abstrakte Sichelform zu betonen, seine eigentliche Natur: eine opake Sphäre, von den schrägen Strahlen einer der Erde verloren gegangenen Sonne umspielt, die doch – was man nur in manchen Vorfrühlingsnächten erkennen kann – ihre warme Glut bewahrte. Indem Marcovaldo jenen schmalen, gebogenen Streifen des zwischen Dunkel und Licht geteilten Mondes betrachtete, empfand er eine merkwürdige Sehnsucht, wie nach einem Strand, der wunderbarerweise nachts in der Sonne lag. So standen sie alle am Fenster der Mansarde, die zwei Knaben noch ganz erschrocken von den Folgen ihrer Tat, Isolina in Verzauberung entzückt. Fiordaligi als Einziger bemerkte das undeutlich schimmernde Dachfenster und endlich auch das mondhafte Lächeln des Mädchens. Die Mutter gab sich einen Ruck. »Schluss jetzt, es ist Nacht, was steht ihr immer noch am Fenster herum? Ihr werdet schlechte Träume haben von all dem Mondschein.«

Michelino hob die Schleuder und brüllte: »Dann lösche ich eben den Mond aus!« Er erhielt einen Katzenkopf und wurde ins Bett gesteckt.

So kam es, dass für den Rest dieser Nacht und auch in der folgenden die Leuchtschrift auf dem gegenüberliegenden Dach nur SPAAK-CO verkündete und man von Marcovaldos Fenster aus das Firmament betrachten konnte. Fiordaligi und das Mondmädchen warfen einander Kusshände zu, und vielleicht gelang es ihnen sogar in stummer Zwiesprache, auch ein Rendezvous zu verabreden.

Doch am Morgen des übernächsten Tages hoben sich dünn und vereinzelt zwischen dem Gestänge der Leuchtschrift vom Himmel die Gestalten zweier Elektriker ab, die an den Drähten und Röhren herumwerkten. Mit der Miene eines erfahrenen Alten, der voraussieht, was für ein Wetter es geben wird, steckte Marcovaldo die Nase aus dem Fenster und verkündete: »Heute gibt es wieder eine Nacht mit GNAC.«

Da klopfte jemand an die Tür der Mansarde. Sie öffneten. Es war ein Herr mit Brille.

»Verzeihen Sie die Störung«, sagte er, »dürfte ich wohl eventuell einen kleinen Blick aus Ihrem Fenster werfen? Vielen Dank!«

Und mit einer kleinen Verbeugung: »Dr. Godifredo, Agentur für Leuchtreklame.«

Wir sind ruiniert, dachte Marcovaldo, man macht uns jetzt bestimmt für den Schaden verantwortlich. Und er verschlang seine Söhne mit wütenden Blicken, ohne einen Gedanken an seine astronomische Verzückung. Jetzt sieht er sich die Lage an und begreift natürlich, dass die Steine nur von hier aus geschleudert werden konnten. Schon hob er beschwörend die Hände und setzte zu einer Rede an: »Sie wissen doch, wie Kinder sind, sie schießen auf Spatzen, nur mit Kieselsteinchen, ich verstehe selbst nicht, wie das passieren konnte, mit der Schrift von Spaak dort. Aber ich habe sie bestraft, und ob ich sie bestraft habe! Sie dürfen versichert sein, dass so etwas nicht wieder vorkommt.«

Dr. Godifredo hörte aufmerksam zu. Dann erklärte er: »Um die Wahrheit zu sagen, ich arbeite für ›Cognac Tomawak‹, nicht für die Firma Spaak. Ich war nur gekommen, um die Möglichkeiten einer Leuchtreklame auf diesem Dach hier zu prüfen. Aber sprechen Sie ruhig weiter, das interessiert mich trotzdem, was Sie da sagen, interessiert mich durchaus.«

Eine halbe Stunde später schloss Marcovaldo mit der Firma »Cognac Tomawak«, dem einzigen bedeutenden Konkurrenten der Firma Spaak, einen Vertrag: jedes Mal, wenn die Leuchtschrift drüben wieder in Stand gesetzt war, würden seine Kinder mit der Schleuder auf das GNAC schießen.

»Dies ist der Tropfen, der das Fass zum Überlaufen bringt«, bedeutete ihnen Dr. Godifredo. Und er irrte sich nicht. Die Firma Spaak, auf Grund übermäßiger Reklameinvestitionen ohnehin dicht vor dem Bankrott, sah die fortdauernden Schäden, die ihrer schönsten Leuchtreklame angetan wurden, als schlimmes Vorzeichen an. Die Schrift, die heute COGAC, morgen CONAC oder auch einfach nur CONC lautete, ließ unter den Gläubigern den Gedanken an eine Zerrüttung der Finanzlage bei der Firma aufkommen. Ein Punkt wurde erreicht, da die Reklameagentur sich weigerte, weitere Reparaturen vorzunehmen, wenn die Rückstände nicht bezahlt würden. Die erloschene Schrift alarmierte die Gläubiger erst recht. Die Firma Spaak ging in Konkurs.

An Marcovaldos Himmel strahlte der volle Mond in seiner rundesten Fülle. Und er hatte sein letztes Viertel erreicht, als wieder die Elektriker auf dem Dach gegenüber herumkletterten. In dieser Nacht formten die flammenden Leitern, doppelt so hoch und kräftig wie zuvor, die Wörter COGNAC TOMAWAK, und da war weder Mond noch Firmament, noch Himmel und Nacht, nur immer COGNAC TOMAWAK, COGNAC TOMAWAK, COGNAG TOMAWAK, alle zwei Sekunden aufflammend und erlöschend, aufflammend und erlöschend.

Fiordaligi traf es am schwersten: Das Dachfenster des Mondmädchens war hinter einem riesigen, undurchdringlichen W verschwunden.

Autoren und Quellennachweis

Italo Calvino (1923–1985) arbeitete nach dem Studium der Philosophie und Literatur als Lektor. Seine Bücher wurden mit zahlreichen Preisen ausgezeichnet und in vielen Sprachen übersetzt. ›Mond und Gnac‹ aus: Marcovaldo oder die Jahreszeiten in der Stadt. S. 86–93. © Carl Hanser Verlag, München · Wien, 1988. Deutsch von Nino Erné.

Hans Magnus Enzensberger, geboren 1929 in Kaufbeuren, lebt heute in München. Er zählt zu den bekanntesten Schriftstellern der deutschen Literatur seit 1945. Der Autor schreibt mittlerweile auch Kinder- und Jugendbücher. »Cowper's Winch‹ aus: Wo warst du, Robert? S. 77–87. © Carl Hanser Verlag, München · Wien, 1998.
   Von Hans Magnus Enzensberger ist in der *Reihe Hanser* ›Der Zahlenteufel‹ erschienen.

Jostein Gaarder, geboren 1952, lebt in Oslo in Norwegen. Mit seinem Roman ›Sofies Welt‹ wurde er weltweit zu einem der erfolgreichsten Schriftsteller. Auch seine weiteren Bücher sind allesamt Bestseller geworden. Für ›Sofies Welt‹ erhielt er unter anderem den Deutschen Jugendliteraturpreis. ›Dorf‹ aus: Das Kartengeheimnis. S. 20–28. © Carl Hanser Verlag, München · Wien, 1995. Deutsch von Gabriele Haefs.
   Von Jostein Gaarder ist in der *Reihe Hanser* ›Sofies Welt‹ (<u>dtv</u> 62000) erschienen.

David Grossman, geboren 1954 in Jerusalem, gehört zu den bedeutendsten Schriftstellern israelischer Gegenwartsliteratur. Seine Romane und Kinderbücher wurden mit zahlreichen Preisen ausgezeichnet. ›Eine Lokomotive von hundert Tonnen‹ aus: Zickzackkind. S. 70–87. © Carl Hanser Verlag, München · Wien, 1994. Deutsch von Vera Loos und Naomi Nir-Bleimling.

LARS GUSTAFSSON, geboren 1936 in Västerås/Mittelschweden, lebt heute in Austin/Texas. Er ist einer der bekanntesten Schriftsteller der schwedischen Gegenwartsliteratur. ›Die Geschichte von Tante Clara‹ aus: Sigismund. S. 126–144. © Carl Hanser Verlag München · Wien, 1977. Deutsch von Verena Reichel.

UWE-MICHAEL GUTZSCHHAHN, geboren 1952 in Langenberg ist Autor und Übersetzer. Er hat mehrere Bücher für Kinder und Jugendliche veröffentlicht und ist für das Kinderbuchprogramm des Hanser Verlages verantwortlich. ›Das Möwenzeichen‹ © beim Autor.
   Von Uwe-Michael Gutzschhahn ist in der *Reihe Hanser* ›Ich möchte einfach alles sein‹ (<u>dtv</u> 62003) erschienen.

RUDOLF HERFURTNER, geboren 1947 in Wasserburg am Inn, studierte Germanistik, Anglistik und Theaterwissenschaften. Er arbeitet als Autor und schreibt für Zeitungen, Rundfunk und Fernsehen. ›Wenn ich mit Opa auf Reisen ging‹ © beim Autor.

FRANZ HOHLER, geboren 1943 in Biel, lebt heute in Zürich. Er ist Schriftsteller und Kabarettist und schreibt für Erwachsene und Kinder. ›Der offene Kühlschrank‹ aus: Die Spaghettifrau. S. 83–86. © Ravensburger Buchverlag 1998.
   Von Franz Hohler ist in der *Reihe Hanser* erschienen ›Der Riese und die Erdbeerkonfitüre‹ (<u>dtv</u> 62021).

ANNIKA HOLM, geboren 1937 in Stockholm, schrieb 1971 ihr erstes Kinderbuch. Ihre Bücher wurden mit vielen Preisen ausgezeichnet. ›Die Hexe im Blaubeerwald‹ © bei der Autorin. Deutsch von Angelika Kutsch.

HANNA JOHANSEN, geboren 1939 in Bremen, lebt heute in der Nähe von Zürich. Sie schreibt Romane und Erzählungen für Erwachsene und Kinder. ›Dieses Jahr wird nicht verreist‹ © bei der Autorin.

Von Hanna Johansen ist in der *Reihe Hanser* ›Der Füsch‹ (<u>dtv</u> 62004) erschienen.

ROOT LEEB, geboren 1955 in Würzburg, studierte Germanistik, Philosophie und Sozialpädagogik und arbeitete als Lehrerin und Straßenbahnschaffnerin. Sie lebt als freie Autorin und Illustratorin in der Nähe von Mainz. ›Windgeflüster‹ © bei der Autorin.

CHRISTOPH MECKEL, geboren 1935 in Berlin, studierte Grafik in Freiburg und München. Er hat zahlreiche Gedichtbände, Erzählungen, Romane und Grafikzyklen veröffentlicht, darunter auch einige Bücher für Kinder. ›Drusch, der glückliche Magier‹ © beim Autor.

JUTTA RICHTER, geboren 1955 in Burgsteinfurt/Westfalen, veröffentlichte schon als Schülerin ihr erstes Buch. Seit 1978 lebt die freie Autorin im Münsterland. ›Ein Schatten, der auf den Sommer gefallen war‹ © bei der Autorin.

BRIGITTE SCHÄR, geboren 1958, lebt seit 1988 als freie Schriftstellerin und Sängerin in Zürich. Sie hat mehrere Bücher mit Erzählungen für Erwachsene und Kinder veröffentlicht. ›Donnerstag‹ © bei der Autorin.

RAFIK SCHAMI, geboren 1946 in Damaskus, kam 1971 nach Deutschland und lebt heute als freier Autor in der Nähe von Mainz. Er wurde mit vielen Literaturpreisen ausgezeichnet und zählt inzwischen zu den erfolgreichsten Schriftstellern deutscher Sprache. ›Kebab ist Kultur‹ aus: Der Fliegenmelker. S. 11–18. © Carl Hanser Verlag, München · Wien, 1997.

CATHLEEN SCHINE, geboren 1953 in Westport/Connecticut, lebt in New York und arbeitet als Autorin und Journalistin. In Deutschland wurde sie mit mehreren Romanen bekannt. ›Ipsy Pipsy‹ © bei der Autorin. Deutsch von Giovanni und Ditte Bandini.

Keine Angst vor
GOETHE!

Man schreibt das Jahr 1890. Ein englisches Segelschiff ist überfallen worden, die Besatzung ist tot. Einzige Überlebende sind eine deutsche Fürstin und ihr Sohn Thomas. Sie geraten auf eine geheimnisvolle arabische Insel. Dort findet Thomas im Sohn des Sultans einen Freund und soll den Gelehrten die klügsten deutschen Dichter vorstellen. Es beginnt eine spannende Entdeckungsreise durch Goethes Werk.

»Nach diesem Buch bekommt man richtig Lust, sich die Werke des Klassikers vorzunehmen.« FOCUS

192 Seiten. Halbleinen, Fadenheftung

Sylvia Waugh
Die Mennyms

Reihe Hanser   dtv 62010

Ein Brief flattert durch den Briefkastenschlitz und schon befindet sich die ganze Familie Mennym in Aufruhr. Seit über vierzig Jahren lebt die zehnköpfige Familie in der Brocklehurst Nr. 5. Sie gehen zur Arbeit, zahlen pünktlich ihre Miete. Und jetzt soll mit einem Brief alles vorbei sein? Ihr Geheimnis: Die Mennyms sind keine Menschen, sondern Lumpenpuppen. Ihren Alltag bestreiten sie mit So-tun-als-ob-Spielen. Der Absender, der neue Vermieter, möchte der Familie höchstpersönlich einen Besuch abstatten. Fliegt jetzt alles auf?